MAI 68,
LA RÉVOLUTION FICTION
JACQUES TARNERO

LES ESSENTIELS MILAN

Sommaire

Les mots suivis d'un astérisque (*) sont expliqués dans le glossaire.

« SOUS LES PAVÉS, LA PLAGE… »

Qui ne se souvient de Mai 68? Cette situation «insaisissable» pour le général de Gaulle a explosé en période de plein emploi, dans une France prospère, pantouflarde, enfin libérée des guerres coloniales. C'est dans une France qui s'ennuyait que les pavés se sont mis à voler. La rupture fut d'abord œdipienne et culturelle : une génération née après la guerre affirmait ses 20 ans et prenait la parole contre ses aînés. Dans toute l'Europe, en Amérique latine, aux États-Unis, les murs du vieux monde ont tremblé.

Que reste-t-il de la fête de 68? Trente ans après, le bilan est contrasté. La pensée unique a écrasé le rêve révolutionnaire. Au «tout est politique» fait place le tout économique. La culture alternative, la parole si chèrement conquise sont aujourd'hui noyées dans les bruits des médias. Trente ans plus tard, le fameux «*il est interdit d'interdire*» n'a-t-il pas davantage servi le libéralisme plutôt que la liberté, la transgression plutôt que le civisme? Le marché a-t-il tout digéré? Malgré les désillusions, les récupérations ou les dérives, Mai 68 a semé une multitude de germes qui ont permis de penser le monde différemment. Ils ont accéléré la conquête par les femmes de l'égalité des droits, la prise de conscience écologique pour la planète ou, quelques années plus tard, la contestation puis la mise à bas des systèmes totalitaires en Europe. Pourra-t-on encore prendre ses rêves pour la réalité?

La fin d'un monde

D'un point de vue symbolique, Mai 68 constitue un moment charnière dans l'après-guerre. C'est le passage culturel d'une époque à une autre. Les schémas intellectuels ou les clivages politiques qui organisaient la perception du monde vont être mis en cause.

Le mirage de la prospérité

Avoir 20 ans n'entraîne plus le risque d'être appelé pour faire la guerre. Celle d'Algérie s'est achevée en 1962 et la Seconde Guerre mondiale semble aussi ancienne que la première. Il n'y a plus rien à craindre du côté de l'Allemagne. La jeunesse de 1968 a les yeux seulement tournés vers le présent et l'avenir. Elle bouge, elle voyage, en auto-stop. Elle court le monde. Elle veut être au monde, un monde différent de celui de ses aînés. La France jouit de cette paix et de cette prospérité inédite. Le chômage est faible et rien ne semble vouloir démentir une croissance à la hausse. Les «choses» à consommer, les voitures, l'électroménager, le confort par le «système des objets» façonnent un modèle de société jusque-là inconnu, qui prétend être le visage de la modernité.

Entre désir et utopie
Paradoxalement, la révolte à venir est la résultante d'un mélange complexe entre le désir de jouir du présent et l'utopie de créer un autre monde radicalement différent.

| Changement d'ère | Les trente glorieuses | Mondes en rupture |

Les modes de vie qui s'uniformisent à l'Ouest engendrent des convergences culturelles.

Sous la croissance, le refus

La société de consommation à tout-va ne semble pas constituer le nouvel idéal de la jeunesse des pays développés. En Amérique, les étudiants héritiers de la *beat generation** (*voir* pp. 20-21) contestent, depuis quelques années, ce modèle faisant de l'Occident l'ogre du monde. Pourtant, les «trentes glorieuses» – expression de l'économiste Jean Fourastié (1907-1990) – se voient bel et bien confirmées : en effet, les trente années, depuis la fin de la dernière guerre mondiale jusqu'en 1973, connaîtront une expansion économique sans précédent. En France, le taux de croissance moyen annuel du PIB* est de 5%. Et la part de population active sans emploi est faible (1,8%). Cependant, c'est en 1968 qu'est fondé le Club de Rome : il regroupe des personnalités dénonçant les dangers de l'exploitation à outrance de la planète.

Des fractures venues d'ailleurs

Cet âge d'or qui brille pour l'Occident fait du tiers-monde le laissé-pour-compte du développement. Ces pays tiers ont une population qui croît de 2% par an, augmentation deux fois plus rapide que celle des pays industrialisés. Les ex-colonies constituent autant de pions ou de réservoirs de matières premières pris dans l'antagonisme des blocs. Les affrontements militaires entre ces derniers qui s'y déroulent par pions interposés (Indochine, Afrique, Amérique latine) vont justement représenter pour la jeunesse occidentale la raison de refuser cet ordre. Vingt ans après la fin de la Seconde Guerre mondiale, ce qui se défait ou va se construire, sans qu'on le sache encore, ce sont non seulement les visions du monde héritées du XIXᵉ siècle, mais encore, en France, les grands mythes issus de la Résistance (*voir* pp. 6-7). Mai 68 annonce le grand chambardement des idées.

Jusqu'à cette fin des années soixante, l'ordre du monde issu de la défaite nazie est bipolaire. Est et Ouest se font face. La génération du *baby-boom*, née après la guerre, a vingt ans en 1968. Contre ses aînés, elle va refuser et ébranler ce partage du monde.

Mémoire et usure des mythes

Le camp des vainqueurs contre le nazisme et ses alliés a construit, depuis 1945, le récit de sa victoire. Gaullistes et communistes se partagent le champ politique. Cependant, les mythologies héroïques ont été usées par l'Histoire. La paix sied mal aux guerriers.

Page de droite :
Mehdi Ben Barka, à gauche, en compagnie de son frère, au début des années soixante.

Une République pantouflarde
L'insurrection hongroise et le soutien apporté par le PCF aux Soviétiques, la guerre d'Algérie qui durera cinq années sous De Gaulle vont considérablement ternir l'héritage des vainqueurs contre la barbarie nazie. La Ve République a mis ses pantoufles. Elle n'entend plus les craquements du monde.

La prospérité contre l'épopée

Pour De Gaulle, depuis la fin de la guerre d'Algérie en 1962, la scène est désormais trop étroite. La Ve République est conduite par un héros qui semble appartenir au passé.

Pourtant, pour l'homme des grandes tempêtes, tout va pour le mieux dans la France des années soixante.

Si l'expansion est au rendez-vous, elle s'accompagne d'un vide en matière de projets de société, tandis que diverses affaires ternissent le parti du Général.

En 1965, candidat à sa propre succession au suffrage universel*, il subit l'humiliation d'être mis en ballottage par François Mitterrand, candidat de la gauche.

En 1967, la majorité gaulliste remporte de justesse les élections législatives.

Si le temps des crises violentes (guerre d'Algérie notamment) semble un mauvais souvenir, la majorité ne voit pas venir l'orage tant son confort la rend sourde et aveugle aux grandes mutations de la société et aux insatisfactions de la jeunesse.

L'affaire Ben Barka : un scandale sous De Gaulle

Mehdi Ben Barka, leader de l'Union des forces populaires du Maroc, est arrêté le 29 octobre 1965 devant la brasserie Lipp à Paris par deux policiers français. Nul ne l'a plus jamais revu vivant. Ce crime sans cadavre a pour commanditaire, et probablement pour exécutant, le général Oufkir,

chef de la sécurité du royaume marocain. Cette affaire s'est déroulée avec la complicité de policiers français et de certains membres des services secrets. Dénoncée par De Gaulle comme étant «*vulgaire et subalterne*», elle éclabousse durablement le régime, mettant au jour les jeux de complicité entre basse police et truands. C'est l'image d'intégrité du gaullisme qui est atteinte par diverses autres affaires, aujourd'hui nommées «abus de biens sociaux». Elles touchent d'autres personnalités de la majorité.

Le communisme français : un grand soir de retard

Le 27 octobre 1960, l'Unef* (Union nationale des étudiants de France), contre l'avis du parti communiste (PC), appelle à un meeting à la Mutualité* contre la guerre d'Algérie. Des milliers d'étudiants sont présents. Le monopole du *niet* (« non ») tenu par «le parti de la classe ouvrière» est brisé. La contestation s'installe simultanément chez les étudiants communistes de l'UEC* : ils jugent le PCF timoré, tant dans sa condamnation du stalinisme amorcée par le rapport Krouchtchev au XXe congrès du parti communiste soviétique que dans son soutien à l'insurrection algérienne. Les étudiants français s'inspirent du modèle communiste contestataire italien. Exclus de l'UEC, des étudiants vont construire sur la gauche du PC les premiers groupes politiques radicaux : trotskistes et maoïstes.

> L'ordre né
> de la Résistance,
> les hommes
> des maquis
> ou le «parti
> des fusillés»
> ont perdu,
> avec le temps
> ou leur passage
> aux affaires,
> l'aura de leur
> vertu première.
> Les guerres
> d'Indochine
> et surtout
> celle d'Algérie
> ont largement
> entamé leur
> crédit auprès
> de la jeunesse.

La guerre est finie

Mai 68 ne peut être compris que resitué dans ce contexte fait de contradictions de plus en plus fortes : tradition et mutation culturelle, ancrage dans les années cinquante puis les années De Gaulle, et rupture avec ces deux périodes. Ce sont ces tensions entre passé et présent qui sont la cause de l'explosion du joli mois de mai.

Pierre Mendès France (1907-1982), Premier ministre depuis juin 1954, négocie la fin de la guerre d'Indochine avec Hô Chi Minh. Il innove pendant seulement cent jours à la tête du gouvernement par son style moderne en rupture avec la tradition de la IVe République. Mais il subit la fronde des poujadistes* qui refusent toute évolution économique. *Ci-dessous* : poignée de main, en juin 1954, entre Mendès France et René Coty (1882-1962), président de la IVe République.

L'empire décomposé, la France recomposée

La défaite de Diên Biên Phu et l'indépendance de l'Algérie vont mettre un terme à plus de deux siècles d'histoire coloniale. Ces blessures vont laisser des plaies difficiles à cicatriser. Plus de deux millions de jeunes appelés de métropole seront les témoins du gâchis algérien. La Ve République fondée par le référendum de 1958 établit un nouveau régime qui donne de larges pouvoirs au chef de l'État. Dorénavant, c'est autour de l'idée de « Communauté » que s'organisent la relation avec les anciennes colonies. En France, les bouleversements de la société s'expriment aussi dans les crises du monde rural ou du petit commerce rétives à toute adaptation structurelle. De nouveaux pauvres apparaissent aidés par un grand mouvement caritatif d'Emmaüs de l'abbé Pierre. Seules les nouvelles images de la télévision pour le couronnement d'Élisabeth II donnent à rêver au milieu des années cinquante.

Changement d'ère | **Les trente glorieuses** | Mondes en rupture

L'Europe, nouvelle frontière

De Gaulle affirme la volonté d'indépendance de la France, désormais puissance nucléaire, qui quitte l'Otan* en 1966. Si la menace de guerre entre les blocs reste une option possible, l'équilibre de la terreur nucléaire et la venue de Krouchtchev au pouvoir en Urss ont stabilisé la «coexistence pacifique». L'Europe cherche donc à se construire pour échapper à cette double tension.

Dès 1957, le traité de Rome avait inauguré le marché commun entre six pays européens (RFA, Belgique, France, Italie, Luxembourg et Pays-Bas). Cet acte de naissance de l'Europe a accéléré la croissance et le développement technico-industriel qui lui-même est source de mieux-être. En une demi-génération (de 1950 à 1967), le niveau de vie moyen des Français, mesuré par la consommation individuelle, a plus que doublé.

Des équilibres fragiles

Le moteur économique français profite de ce dynamisme. L'avion Caravelle, le paquebot France, l'usine marémotrice de la Rance, les nouvelles Renault symbolisent cette réussite. Le taux de croissance est de 5,5% par an. Vers le milieu des années soixante, la moitié des ménages possèdent un téléviseur et une voiture. La quatrième semaine de congés payés et les vacances rythment désormais la vie du pays. Ces transformations structurelles profondes, ces réussites technologiques s'accompagnent de crises pour ceux qui n'arrivent pas à s'adapter ou pour les nouvelles générations. Tandis qu'on annonce la «*Fin des paysans*» (1967), titre du livre de Henri Mendras, les moins de vingt ans représentent un tiers de la population et se bousculent à l'entrée des universités. Toutefois, l'écart social se creuse. Si 52% des adolescents sont scolarisés à 17 ans, ils sont constitués à 90% par des enfants des classes sociales élevées.

> Depuis la fin des guerres d'Indochine en 1954 et d'Algérie en 1962, la France est enfin en paix. C'est dans ces années que se sont opérées les ruptures technologiques, sociales et politiques : fin des colonies mais crise chez les artisans et les paysans, nouveaux conforts électroménagers mais apparition des chiffonniers d'Emmaüs.

La génération du *baby-boom* a vingt ans

Mai 68, c'est d'abord une affaire de jeunes qui s'affirment et se reconnaissent. Les premiers signes de cette émergence datent de juin 1963, quand l'émission *Salut les copains* réunit à Paris, place de la Nation, plus de cent mille jeunes autour de Johnny Halliday et des nouvelles idoles « yé-yé ».

« *Les Héritiers* » ont vingt ans

En 1968, il y a deux fois plus d'étudiants qu'en 1960. Malgré l'effort de démocratisation de l'enseignement supérieur, un sociologue, Pierre Bourdieu, n'y voit que la reproduction des mêmes classes sociales issues de la bourgeoisie (*Les Héritiers*, 1964). Pourtant, dans les matières littéraires, les étudiants craignent pour leur avenir professionnel. Les structures autant que les mentalités de la vieille Université sont inadaptées à l'arrivée des nouveaux venus. La cécité des responsables politiques autant que la surdité des mandarins universitaires va précipiter la rencontre de la masse étudiante, plutôt apolitique, avec la minorité d'extrême gauche hyperactive et militante.

Le monde des adultes ne voit pas venir l'orage

En 1965, le général de Gaulle a 75 ans. Il est l'homme d'une épopée qui ne semble plus émouvoir la jeunesse. « *Voici que se lève bien nourrie, ignorante en histoire, opulente réaliste, la cohorte dépolitisée et dédramatisée des Français de moins de vingt ans... Je souhaite simplement qu'un jour Sylvie, Françoise, Johnny, Dick, etc. fassent le poids dans la mémoire des garçons et des filles d'aujourd'hui* », écrit en septembre 1963 François Nourissier dans *Les Nouvelles littéraires*. Seuls quelques intellectuels savent lire dans les grands rassemblements musicaux de la jeunesse l'aspiration confuse d'autre chose. Edgard Morin, sociologue, voit des

« *I hope I die 'fore I get old* » (« *j'espère que je mourrai avant d'être vieux* »), *My generation*, 1965, « Les Who ».

«cristallisations analogues» dans les pays de l'Est qui obéissent à un «*esprit du temps construit par les médias*», tandis que Margaret Mead, anthropologue, déclare dans une conférence à Londres en 1968 : «*Les adultes sont incapables d'assimiler les changements intervenus. [...] Les enfants grandissent dans un monde inconnu de leurs parents. Ils sont élevés par la télévision, [...] ils appartiennent au monde entier.*»

Jeunes sans frontières

Les enfants du siècle ont un désir : être au monde. Les conflits entre les nations, entre les États, les guerres européennes appartiennent à une histoire qui leur est étrangère. Les tranchées de Verdun sont autant de balafres dans une planète dont ils s'estiment citoyens. Sac au dos et pouce en l'air, c'est l'âge d'or du stop pour découvrir le monde. De Londres à Katmandou, d'Asnières à Kaboul ou à Los Angeles, les jeunes font la route. Avec la 2 CV, la voiture emblématique, ce Meccano à roulettes, démontable et serviable. Cette liberté revendiquée, ce désir d'embrasser le monde n'a pas encore de contenu politique. Il faut d'abord s'affranchir du monde des aînés. La mode, la mini-jupe, la musique, un air des Beatles ou de Simon *and* Garfunkel expriment tous ces désirs.

Y a-t-il un rapport entre Johnny, Sylvie, Dick Rivers, Richard Antony et les barricades de Mai 68 ? Apparemment aucun, sinon l'explosion d'une jeunesse qui veut secouer le vieux monde de ses aînés. Le rock ou le twist sont autant de rythmes qui rencontrent une génération.

Paysages intellectuels avant la bataille

Le passé donnait un cadre intellectuel aux aînés. Les jeunes de 68 prétendent récuser cette fonction de référence, voire de révérence. Ils veulent affirmer leur propres valeurs. Pourtant, les « modèles théoriques d'explication » sont encore absents, et les penseurs nouveaux encore inconnus.

Toutânkhamon à Paris

Si le succès de l'exposition au Petit Palais, en septembre 1967, est considérable (plus d'un million de visiteurs), personne ne saisit encore l'autre momification qui menace : une société figée, soumise aux divers conservatismes des positions acquises à droite comme au PC (parti communiste) ou à l'université. Le monde bouge mais la France s'ennuie. Seuls les livres, les musiques ou les films semblent porteurs d'effervescence. La « nouvelle vague » annonce une grande marée.

Le 7 mai 1968, le cinéaste Jean-Luc Godard, muni de sa caméra, manifeste dans les rues de Paris, au milieu d'un cortège d'étudiants.

Nouveau cinéma, nouveaux concepts

Les Cousins, *Le Beau Serge*, *Les Bonnes Femmes* de Claude Chabrol, *À bout de souffle*, *La Chinoise* de Jean-Luc Godard, *Les Quatre Cents Coups*, *Jules et Jim* de François Truffaut, *Paris nous appartient* de Jacques Rivette, réalisés au début des années

Changement d'ère | Les trente glorieuses | Mondes en rupture

soixante, sont baptisés «nouvelle vague» par Françoise Giroud dans *L'Express*. Tous écrivent dans des styles différents une autre manière de faire du cinéma. Une revue, *Les Cahiers du cinéma*, les rassemble dans une même critique de la profession et de ses traditions. Si les images innovent, c'est sans doute parce que, en amont, les idées bougent.

1966 est l'année phare du structuralisme, mot barbare : il va être à la fois une mode et un aiguillon intellectuel. De quoi s'agit-il ? D'un courant de pensée qui, à la différence du marxisme, privilégie la totalité par rapport à l'individu et la synchronicité* des faits, et leurs relations entre eux plutôt que les faits eux-mêmes. Il va irriguer tout le champ de la pensée. Après les grands pères fondateurs – Marx et Freud –, Claude Lévi-Strauss, Michel Foucault, Louis Althusser et Jacques Lacan dessinent en philosophie, en psychanalyse, en anthropologie, dans la critique du marxisme, les contours d'un regard neuf sur l'évolution des sociétés et le fonctionnement des individus.

«*Si la littérature n'est pas tout, elle ne vaut pas une heure de peine*» Jean-Paul Sartre

Avec Alain Robbe-Grillet, Michel Butor, Claude Simon ou Nathalie Sarraute, c'est le roman qui s'inscrit dans le registre du «nouveau». Prolixe dans l'essai théorique ou le récit romanesque, le couple Simone de Beauvoir - Jean-Paul Sartre (qui refuse le prix Nobel en 1964) symbolise tant un rayonnement intellectuel que l'engagement dans les combats politiques. Depuis la Libération en 1945, le couple occupe le devant de la scène de toutes les luttes pour l'émancipation : Algérie avec l'«appel des 121» pour le droit à l'insoumission, féminisme, conflits sociaux. *Les Temps modernes* deviennent la revue de référence des intellectuels de gauche, compagnons de route du PC ou en rupture avec le modèle communiste.

Diderot au bûcher
Avec l'interdiction, en 1966, de *La Religieuse*, le film de Jacques Rivette tiré de l'œuvre du philosophe Diderot (1713-1784), le pouvoir politique affiche un conservatisme étriqué soumis à la frange la plus réactionnaire de l'opinion.

Communisme et gaullisme balisent la scène politique. La scène intellectuelle, elle, est construite autour d'intellectuels, acteurs de la Résistance ou de la guerre d'Algérie. Le marxisme est le pivot d'une pensée dont le pouvoir intellectuel appartient à la gauche.

La société et le spectacle

La nouveauté, dans cette fin des années soixante, est à la fois technique et industrielle. Mais ce sont ses effets culturels qui vont déterminer les temps à venir. La télévision, les «étranges lucarnes», pour reprendre les mots du *Canard enchaîné*, vont bouleverser le rapport au monde des Français. Le général de Gaulle en est la première grande vedette politique.

«*Françaises, Français, aidez-moi...*»

Lors du putsch* des généraux à Alger en avril 1961, le général de Gaulle dénonce, en uniforme, sur le petit écran, «*le quarteron de généraux à la retraite...*». Il fait alors le meilleur usage, au moment d'une menace dramatique pour la République, de son image militaire, d'homme de Londres. En juin 1967, la vision des foules arabes et de Ahmed Choukeiri – le leader de l'OLP (Organisation de libération de la Palestine) de l'époque –, appelant au rejet des Juifs à la mer, amèneront bien évidemment un réflexe de sympathie populaire pour Israël. La télévision est bien devenue un enjeu, une nouvelle arme politique et un nouveau rapport au monde à travers le spectacle qu'il donne de lui-même.

La fiction plus efficace que l'écrit ? Certains intellectuels ont vu, dans le feuilleton *Thierry la fronde*, interprété par Jean-Claude Drouot, l'une des raisons de l'explosion de Mai 68... comme si une fiction était plus efficace que les écrits théoriques de Guy Debord.

«*Bonne nuit les petits !*»

En 1960, 13 % des ménages français sont équipés d'un téléviseur. En 1968, ils sont 60 %. En 1964, la naissance de la deuxième chaîne s'accompagne, en 1967, de la couleur pour ceux qui peuvent se l'offrir. Des émissions telles que *La caméra invisible*, *Dim, dam, dom*, *Intervilles*, *La piste aux étoiles* mais surtout *Cinq colonnes à la une* des trois Pierre – Desgraupes, Lazareff et Dumayet – inventent le genre enquête-débat grand public. Tandis que Marcel Bluwal ou Stellio Lorenzi mettent en image du théâtre ou des séries dramatiques. Et c'est à 20 h 30 que l'humour

absurde des Shadocks transgresse le conformisme dominant. Mais l'ORTF (Office de radio et de télévision française) contrôle l'ensemble des médias publics d'une manière centralisée. Il obéit au pouvoir politique qui intervient ou fait savoir ses mécontentements.

La société du spectacle

C'est du côté des intellectuels «situationnistes*» (les «situ») que s'élabore la première critique de la fausse conscience des temps modernes, celle dont le tout-image actuel est l'aboutissement. «*Le spectacle est une guerre de l'opium permanente*», écrit Guy Debord en 1967. L'auteur de *La Société du spectacle* décrit ce dernier comme «*la paralysie de l'histoire et de la mémoire* [...] [le spectacle] *est la fausse conscience du temps*». Avec son *Traité de savoir-vivre à l'usage des jeunes générations* (1967) – la bible théorique des «situ» –, Raoul Vaneighem met en scène la misère du confort dans la société de consommation, sa fiction, ses images et ses impostures. En rupture avec l'écriture du cinéma traditionnel, Jean-Luc Godard insuffle à la fiction une saveur et une vérité jusque-là inconnues : *Pierrot le fou* (1965) et *À bout de souffle* (1960) rencontrent de grands succès témoignant d'un désir de renouveau.

> Désormais, c'est par un troisième œil, celui de l'objectif de la caméra, que les Français voient, pensent, se font une idée sur le monde. Il devient l'outil qui va changer le regard, mais aussi la pensée. C'est l'avènement du quatrième pouvoir : celui des médias.

L'heure des brasiers

En 1967, le monde est un volcan en éruption. Si l'Urss semble figée dans la glaciation poststalinienne, les modèles révolutionnaires se partagent entre Cuba et Pékin. La Havane devient la tour de Babel de tous ceux qui refusent le vieux monde. En Europe, c'est surtout dans le milieu étudiant que la gauche radicale rencontre du succès.

Vents d'est, vent d'ouest

En Pologne, en Tchécoslovaquie, la jeunesse étudiante descend dans la rue pour affirmer sa soif de liberté contre le système politique hérité du stalinisme. Ce qu'ils désirent, c'est le droit de décider sans être soumis à Moscou. Les jeunes de l'Ouest jouissent de ces libertés démocratiques et expriment un désir confus de changement radical : la révolution (mais laquelle ?) fait office de mot magique, plus romantique que politique. Et c'est depuis les États-Unis que souffle ce vent nouveau. Les États-Unis avaient déjà connu de grands rassemblements antiracistes pour les droits civiques. L'élection de John Kennedy en 1960 avait su tisser une nouvelle relation avec la jeunesse. Son assassinat en 1963, celui de Martin Luther King en 1968, puis le début des bombardements contre le Viêt-nam, décidés en 1965 par son successeur, Lyndon B. Johnson, vont casser le lien avec les jeunes.

À l'université de Berkeley, dès 1965, les étudiants se mobilisent à la fois contre leur modèle de société asservi au système de production/consommation que contre la politique étrangère de leur pays au Viêt-nam ou en Amérique latine. Inspirée par la philosophie de Herbert Marcuse (*voir* encadré) mais aussi par le courant hippie naissant, la contestation est encore non violente.

Herbert Marcuse Ce philosophe américain (1898-1979), d'origine allemande, ayant fui le nazisme, a produit une pensée pour les sociétés industrielles construite autour du marxisme et de la psychanalyse.

Changement d'ère   Les trente glorieuses   Mondes en rupture

« *Make love, not war* »

Depuis 1963, les forces américaines envoyées au Viêt-nam du Sud ne cessent de grossir : 185 000 hommes en 1965, 485 000 en 1967. La politique entre dans les campus américains autour du refus de cette guerre. Joan Baez ou Leonard Cohen inscrivent dans leurs chansons le rejet de cette violence faite à un petit pays résistant au mastodonte incarné par les bombardiers géants B 52. Les Américains voient sur leurs écrans de télévision d'abominables images d'enfants brûlés au napalm ou déchiquetés par les bombes à billes. C'est à cette même période que Ronald Reagan devient le gouverneur républicain de la Californie. Le futur président des États-Unis se fait alors le promoteur de l'offensive menée contre la jeunesse américaine par l'Amérique conservatrice : il veut « *agir avec fermeté contre le sexe, la drogue et la trahison à Berkeley* ». Le « pouvoir étudiant » émerge à l'évocation du slogan de « *make love, not war* » contre les baïonnettes de la garde fédérale. Pour la *beat generation* de Kerouac ou de Ginsberg (*voir* pp. 20-21), le choc est brutal.

> « *Il y a une pénible réalité : le Viêt-nam, cette nation qui incarne les espérances de tout un monde oublié, est tragiquement seul.* »
> **Ernesto Guevara, dit le Che (1928-1967),** discours à La Havane, mai 1967.

C'est un double refus du modèle capitaliste et du modèle stalinien qui inspire les années soixante. Sensibilisée par les luttes de libération, en particulier par le soutien à l'indépendance de l'Algérie, la jeunesse est d'abord « anti » : antifasciste et anti-impérialiste. Son idéologie propre reste à construire.

Résistance, anti-impérialisme... même combat !
Après la guerre d'Algérie, celle du Viêt-nam mobilise les indignations de la jeunesse. Le *bo-doï** vietnamien remplace, dans l'imaginaire, le combat des *fellagha** contre la colonisation. Pour les jeunes Européens et les Français en particulier, il y a un lien continu entre la Résistance au fascisme et les luttes anti-impérialistes.

La critique par les armes   L'effet 68   Approfondir

« *Quand la France s'ennuie* »

Insensiblement, la zone des tempêtes se rapproche de l'Europe, la fièvre estudiantine gagne Berlin, Londres, Madrid et même Varsovie. Pourtant, tandis que l'extrême gauche allemande est déjà très agitée, la France frémit à peine. Régulièrement, des affrontements opposent, à Nanterre ou au Quartier latin, des étudiants d'extrême gauche à ceux de l'extrême droite du groupe Occident*.

Pour la mixité
La nouvelle université de Nanterre, dans la banlieue ouest de Paris, jouxtant les bidonvilles, est dans un état d'agitation cyclique. Au printemps 1967, à la résidence universitaire, les étudiants ont réclamé le libre droit à la circulation entre bâtiments de filles et bâtiments de garçons.

« *Quand la jeunesse s'ennuie...*

« *Ce qui caractérise actuellement notre vie publique, c'est l'ennui. Les Français s'ennuient, ils ne participent ni de près, ni de loin aux grandes convulsions qui secouent le monde.*

La guerre du Viêt-nam les émeut mais ne les touche pas vraiment. [...] Les guérillas d'Amérique latine et l'effervescence cubaine ont été un temps à la mode ; elles ne sont plus guère qu'un sujet de travaux pratiques pour sociologue de gauche. [...]

La jeunesse s'ennuie. Les étudiants manifestent, bougent, se battent en Espagne, en Italie, en Belgique, en Amérique. [...] Ils ont l'impression qu'ils ont des conquêtes à entreprendre, une protestation à faire entendre, au moins un sentiment de l'absurde à opposer à l'absurdité.

Les étudiants français se préoccupent de savoir si les filles de Nanterre ou d'Antony pourront accéder librement aux chambres des garçons, conception malgré tout limitée des droits de l'homme.

Quant aux jeunes ouvriers, ils cherchent du travail et n'en trouvent pas.

Les empoignades, les apostrophes des hommes politiques de tous bords paraissent à tous ces jeunes au mieux plutôt comiques, au pire tout à fait inutiles. »

Changement d'ère | Les trente glorieuses | Mondes en rupture

... *le général de Gaulle s'ennuie* »

Il s'était bien juré de plus inaugurer les chrysanthèmes.
[...] Que faire d'autre? [...] À voix basse, il soupire
de découragement devant la vachardise de ses compa-
triotes. [...] Seuls quelques centaines de milliers
de Français ne s'ennuient pas : chômeurs, jeunes
sans emploi, petits paysans écrasés par le progrès,
vieillards abandonnés de tous. [...] Et ils ennuient tout
le monde. [...] N'y-a-t-il pas d'autre choix qu'entre
l'apathie et l'incohérence, entre l'immobilité et
la tempête? [...] Les Français ont souvent montré
qu'ils aimaient le changement pour le changement. [...]
Un pouvoir de gauche serait-il plus gai que l'actuel
régime? [...] On ne construit rien sans enthousiasme.
Le vrai but de la politique n'est pas d'administrer
le moins mal possible le bien commun [...] il est
de conduire un peuple, de susciter des élans [...] même
s'il doit y avoir un peu de bousculade. [...] L'ardeur
et l'imagination sont aussi nécessaires que le bonheur
et l'expansion [...] l'anesthésie risque de provoquer
la consomption. Et à la limite, cela s'est vu, un pays peut
aussi périr d'ennui. »

Pierre Viansson-Ponté, *Le Monde*, 15 mars 1968.

Le 15 mars 1968,
Pierre Viansson-
Ponté,
l'éditorialiste
du *Monde*,
ne se trompe
pas d'analyse.
Il se trompe
de pronostic.
Son article
fera date.

Beat, beatnik, Beatles et Rolling Stones

Vouloir changer le monde nécessite des rythmes, des airs et des fumées. Pour comprendre Mai 68, l'analyse de la seule dimension politique ou sociale est insuffisante. Il faut prendre la mesure du chamboulement culturel qui s'opère. La musique en fut l'un des premiers accélérateurs, avec la Californie ou l'Angleterre pour terres d'élection.

« *This is the beat generation...* »

Jack Kerouac (1922-1969), William S. Burroughs, Allen Ginsberg, Neal Cassady sont les ancêtres américains de la contre-culture qui va exploser en France autour de Mai 68. Routards, poètes ou musiciens, ils refusent le maccarthysme* de l'Amérique puritaine, ségrégationniste et conservatrice. La fièvre, la route, le voyage, le *trip* aux amphétamines*, à 110 miles à l'heure, sont autant de manières de transfigurer le réel. *Sur la route* (1957), roman de Jack Kerouac, en est la première expression grand public. Autour de ces initiateurs, c'est un mouvement culturel qui se met en marche pour défier l'ordre dominant et son hypocrisie. *Howl and other poems* (1956) de Allen Ginsberg est un long poème joué clamant le désir de marginalité face à la brutalité et à la voracité de la société américaine.

« *On the road again* »

Refuser ce monde, c'est aussi s'essayer aux drogues et au LSD aux effets hallucinatoires. Thimothy Leary est le promoteur du courant psychédélique, mélange syncrétique de philosophie indienne et d'écologie. C'est dans le même esprit que le *Living Theatre** de Julian Beck provoque le conformisme de l'*establishment*. La peinture ou la musique *beat* pratiquent

« *Les origines du mot* beat *sont obscures, mais la plupart des Américains en comprennent bien la signification. Plus que l'épuisement, il implique le sentiment d'être écorché vif...* »
John Clellon Holmes, *New York Times Magazine,* **16 novembre 1952.**

Changement d'ère | Les trente glorieuses | Mondes en rupture

«**Quatre garçons dans le vent**»
À Londres, venus des milieux populaires de Liverpool, «quatre garçons dans le vent», les Beatles (*ci-contre* en 1967), font éclater les frontières de la musique populaire. Leurs airs et leurs chansons vont unir toutes les jeunesses : celles qui font des études et celles qui vont au travail à seize ans.

aussi cette rupture. Jackson Pollock (1912-1956), Roy Lichtenstein ou Andy Warhol (1928-1987), dans des styles différents, participent en peinture au mouvement général d'émancipation. Dans les *coffee houses underground*, on mélange les genres au son de rythmes «*cool*» sur des textes de Bob Dylan. Le rock et le folk américains traversent l'Atlantique pour imprégner toutes les musiques jeunes en Europe.

Rock, fumées et révolte

Si les airs des Beatles font se pâmer toutes les «minettes» et les *teenagers* («adolescents»), c'est parce qu'ils restent dans une tonalité jeune et drôle sans verser dans une provocation outrancière. Les Rolling Stones et Mick Jagger, le chanteur du groupe, cultivent la transgression dans un genre bien plus cru où se mêlent sexe, drogue et violence. Bien que non explicitement politique, le mouvement né de la *beat generation*** affirme ses choix et son refus des valeurs ou des normes de la société bourgeoise. Le gigantesque concert-rassemblement de Woodstock en 1968 en sera l'apogée. La *beat generation*, par ses délires, ses utopies non violentes ou sa poésie, a inspiré toute la contre-culture puis la culture des années soixante-dix.

C'est aux États-Unis et en Angleterre que s'est amorcée, autour des années soixante, la révolution des styles. Elle va accompagner les divers mouvements contestataires européens de 68. La *beat generation*, les Beatles puis les Rolling Stones vont rythmer, jouer ou peindre le refus de l'ancien monde.

Debray, Firk, Goldman : les armes de la critique

Pas de révolution sans action concrète, sans passage à l'acte, sans le risque d'y perdre la vie. Michèle Firk, Régis Debray et Pierre Goldman représentent trois itinéraires de ceux qui sont partis avant les autres, dans des trajets à la fois différents et proches.

Loin de Marx et d'Althusser Pour certains qui ont 20 ans au milieu des années soixante, l'idée de Révolution ne se résume pas à un mot, à une analyse théorique ou à une relecture de Marx (1818-1883) par le philosophe Louis Althusser (1918-1990).

Michèle Firk

Elle a cinq ans quand elle franchit dans les bras de sa mère la ligne de démarcation pour fuir les rafles antijuives de la police de Vichy. C'est autour de cette blessure d'enfance que se construit celle qui sera porteuse de valises pour le FLN* algérien. Membre du Parti communiste français (PCF), elle devient critique de cinéma à *Positif*. Après un séjour en Algérie puis à Cuba, elle est fascinée par la jeune révolution et par le Che qui a choisi de quitter l'île pour porter ailleurs la révolution. Témoin des premières journées du Mai parisien, elle préfère partir au Guatemala rejoindre les FAR* (Forces armées révolutionnaires), qui viennent d'abattre l'ambassadeur des États-Unis. Quand la police arrive le 7 septembre 1968 pour l'arrêter, elle se tire une balle dans la tête, à 31 ans. Elle laisse une lettre : « *Ce qui est honteux, c'est de converser du Viêt-nam les doigts de pieds dans le sable, sans rien changer à sa vie, de parler des guérillas en Amérique latine comme du tour de chant de Johnny Halliday.* »

Régis Debray

C'est dans la lutte pour l'indépendance de l'Algérie et le soutien au FLN que le normalien Régis Debray fait ses premières armes. Il rejoint Cuba en 1961 pour partager la « fête cubaine ». Il y retrouve la plupart des futurs leaders de Mai 68. Il observe la

Changement d'ère | Les trente glorieuses | Mondes en rupture

construction de la révolution, séjourne pendant trois mois dans la Sierra Maestra à Cuba. De retour en France, il supporte mal le décalage entre la « marxologie » théorique et ce qu'il a vu en Amérique latine. Invité à Cuba pour la conférence tricontinentale (*voir* pp. 26-27), il publie son analyse dans *Révolution dans la révolution* (1967). Ayant rejoint le Che en Bolivie, il est arrêté par l'armée bolivienne en 1967 et condamné à trente ans de prison. Il est libéré en décembre 1970. D'une acuité intellectuelle peu commune, Debray est le témoin autant que l'analyste de ces années de rêves et de poudre.

Pierre Goldman

Il fait partie des figures emblématiques d'une partie de la jeunesse de la fin des années soixante, dont les rêves ou les cauchemars sont hantés de francs-tireurs partisans (FTP, mouvement de résistance communiste) ou de SS (*Schutzstaffel*, « section de protection »). Né à la fin de la Seconde Guerre mondiale, nourri de récits de bravoure ou des silences du martyre juif, ce fils d'immigrés juifs polonais communistes est à la recherche d'un combat, d'une exaltation révolutionnaire qui l'engloutira corps et âme. Forcené dans les bagarres contre l'extrême droite où il pense lutter contre les émules de l'OAS*, il reste indifférent aux barricades de Mai 68 qui lui paraissent dérisoires, grotesques. Il part en Amérique latine pour s'essayer à la guérilla. L'échec de cette tentative le ramène à Paris dans une quête éperdue de rupture et de fraternité d'armes. Arrêté pour plusieurs hold-up, il est condamné à perpétuité pour le meurtre de deux pharmaciennes en 1974. Innocenté au cours d'un procès en révision, il est assassiné à Paris en 1979. « *On ne guérit pas de son enfance* », écrit Pierre Goldman dans son récit autobiographique *Souvenirs obscurs d'un juif polonais né en France* (1975). C'est l'un des plus fascinants récits et témoignages pour évoquer cette génération.

Par-delà les récits, les mythes de la Résistance ou de la guerre d'Algérie racontés par la génération précédente, les soixante-huitards veulent trouver leur propre espace, en Algérie, en Amérique latine, à Cuba, puisque la Révolution est la patrie du révolutionnaire. Le risque choisi témoigne de l'engagement.

L'ennemi américain, loin du Viêt-nam

Depuis 1954 – la fin de la guerre d'Indochine et le retrait de la France –, le Viêt-nam est partagé en deux. Au nord, la république démocratique est soutenue par l'Urss et la Chine, le Sud par les États-Unis qui y voient un bastion de la lutte contre le communisme.

Les intellectuels à l'Élysée
En France, c'est autour des « comités Vietnam » que l'extrême gauche étudiante s'était mobilisée en 1968.
En 1979, c'est pour sensibiliser l'opinion en faveur des *boat people* que Jean-Paul Sartre et Raymond Aron (*voir* pp. 50-51) se retrouvent à l'Élysée, dans le but de solliciter l'engagement humanitaire de la France.

Boat people à la mer
Dix années après la déroute américaine au Viêt-nam en 1975, les Vietnamiens fuient le régime communiste. Les *boat people* sont recueillis en mer de Chine par ceux-là mêmes (Bernard Kouchner, André Glucksmann) qui avaient combattu la guerre impérialiste.

Apocalypse now

La République socialiste du Nord Viêt-nam, dirigée par Hô Chi Minh, soutient le Vietcong* procommuniste qui combat le gouvernement du Sud, corrompu et aidé par les États-Unis. Dans un premier temps, les Américains offrent un soutien logistique, puis des conseillers des forces spéciales interviennent aux côtés de l'armée de Saigon, capitale du Sud Viêt-nam. En 1963, au moment de l'assassinat de John F. Kennedy, on compte près de 16 000 conseillers américains envoyés là-bas. Lyndon B. Johnson accentue la guerre en décidant d'écraser le Nord Viêt-nam avec les super bombardiers B 52. La « sale guerre » prend une autre tournure avec l'engagement massif des soldats américains. La venue de plus de 500 000 *GI's* va mobiliser les grands mouvements de protestation contre ce conflit.

« Hô, Hô, Hô Chi Minh ! »

Tandis que les Vietnamiens se solidarisent autour du Vietcong contre la présence américaine, le moral de l'armée US se décompose : la drogue et la violence gratuite contre des populations civiles discréditent l'armée américaine. Le massacre de 347 civils à My Lai sous les ordres du lieutenant Calley, en mars 1968, et les comptes rendus que la presse et la télévision en donnent retournent l'opinion américaine, en particulier celle des campus. Joan Baez, Bob Dylan, Bruce Springsteen dénoncent en chanson l'inanité de cette guerre où

Changement d'ère | Les trente glorieuses | Mondes en rupture

Manifestation contre la guerre du Viêt-nam, en février 1968, rassemblant plusieurs milliers de personnes entre les places de la République et de la Bastille à Paris.

les *boys* meurent sans savoir pourquoi. En Europe, l'hostilité à l'intervention américaine radicalise les mouvements d'extrême gauche. L'Amérique est désignée comme coupable de crime contre les peuples. Vingt ans plus tard, Rambo – alias Sylvester Stallone – prétend sauver l'honneur au cinéma et transformer la réalité de la défaite en fiction victorieuse, comme le disait, de 1985 à 1987, le slogan de Ronald Reagan : « *America is back.* »

« *Créer deux, trois, de nombreux Vietnam !* »

« *La solidarité du monde progressiste avec le peuple du Vietnam ressemble à l'ironie amère que signifiait l'encouragement de la plèbe pour les gladiateurs du cirque romain. Il ne s'agit pas de souhaiter le succès de la victime de l'agression mais de partager son sort, de l'accompagner dans la mort ou dans la victoire. L'impérialisme est coupable d'agression, ses crimes sont immenses. [...] Le Vietnam est-il oui ou non isolé se livrant à des équilibres dangereux entre les deux puissances qui se querellent ? Comme ce peuple est grand ! Comme il est stoïque et courageux ! Quelle leçon sa lutte représente pour le monde ! Créer deux, trois, de nombreux Vietnam, voilà le mot d'ordre !* »
Ernesto Guevara, dit Che (1928-1967), mai 1967.

L'opposition à la guerre menée par les États-Unis au Viêt-nam est le facteur déclenchant de toutes les crises de 68. Relayé par les images de télévision, ce conflit pénètre dans tous les foyers américains. Ce qui en fait le symbole de l'agression d'une superpuissance contre un tout petit peuple.

Amérique latine : le modèle du Che

Che Guevara fait office de mythe révolutionnaire. Argentin ayant rejoint la révolution cubaine, il devient le compagnon de Fidel Castro. Il part exporter la révolution dans le monde. Son exécution en Bolivie, le 9 octobre 1967, transforme le modèle en héros légendaire. Avec sa figure christique, le *guerrillero heroico* repose désormais dans le panthéon des combattants pour la liberté des hommes.

Cuba, goulag tropical ?
Si la figure de Che Guevara reste attachée à la révolution cubaine, son ascétisme révolutionnaire, son romantisme ne peuvent cacher ce que Cuba et Fidel Castro sont devenus, en particulier par la faute du blocus américain : un régime totalitaire ayant dérivé sur le modèle stalinien, confortant le culte de la personnalité du *lider maximo* qui a éliminé ses plus anciens compagnons d'armes.

« *Et si le fer vient interrompre notre voyage, nous demandons un suaire de larmes cubaines pour couvrir les os des guérilleros emmenés par le courant de l'histoire américaine* », écrivait Che Guevara en 1956.

Le voyage à motocyclette à travers l'Amérique latine

Quand, en 1951, le jeune Argentin Ernesto Guevara entreprend, à l'âge de vingt-trois ans, un périple à moto à travers l'Amérique du Sud, il ne sait pas encore que cette randonnée va transformer sa vie en destin. Enfant asthmatique, issu d'une famille progressiste, il voit le monde latino-américain, ses injustices, sa violence sociale avant de devenir médecin. Arrivé au Guatemala, il est le témoin de l'écrasement du régime progressiste du colonel Arbenz Guzmán par les forces américaines. Il fuit à Mexico avec Hilda, sa compagne péruvienne. Là, Ernesto va se métamorphoser en « Che », après une rencontre en juillet 1955 avec Fidel Castro : celui-ci l'enrôle comme médecin de l'expédition révolutionnaire contre le dictateur Batista, qui a fait de Cuba un bordel pour touristes et mafieux américains.

« *Hasta la victoria, siempre !* » (« jusqu'à la victoire, toujours ! »)

En novembre 1956, le navire *Granma* débarque, dans des conditions rocambolesques, quatre-vingt-deux guérilleros à Cuba. Après vingt-cinq mois de pérégrinations et de combats dans la Sierra Maestra,

Changement d'ère | Les trente glorieuses | **Mondes en rupture** le groupe du «*commandante*» Che Guevara gagne la bataille de Santa Clara. Batista s'enfuit. Fidel Castro et ses *barbudos* («barbus») prennent le pouvoir. La révolution cubaine s'installe tandis que l'agression contre-révolutionnaire de la baie des Cochons, soutenue par les États-Unis, fait basculer Cuba dans le giron de l'Urss. Ministre de l'Industrie, le Che déclare : « *Si le communisme ne devait pas conduire*

« *Ayons toujours une grande dose d'humilité, une grande dose de goût de la justice et de la vérité pour ne pas tomber dans les dogmes extrémistes. [...] Il faut lutter pour que cet amour envers l'humanité se transforme en faits concrets, en actes qui aient valeur exemplaire.*»
Che Guevara (1928-1967), 1966.

à la création de l'homme nouveau, il n'aurait aucun sens.»
Le Che ne veut pas se limiter à l'espace cubain. La révolution est sa patrie, en Algérie, en Uruguay, au Congo et à la tribune de l'ONU, où il plaide pour la libération de l'Amérique latine du joug économique des États-Unis.

Les yeux grands ouverts

En janvier 1966 se tient à La Havane une conférence tricontinentale entre les peuples d'Asie, d'Afrique et d'Amérique latine. Le Che n'a pas attendu : trop à l'étroit dans son rôle officiel, il prend ses distances avec le modèle soviétique. Il est déjà parti depuis un an sur d'autres fronts. Il compte créer, à partir de divers foyers, « un, deux, trois, de nombreux Vietnam» (*voir* pp. 24-25). En 1966, avec un groupe de quatre-vingts guérilleros, il prend le maquis en Bolivie, rejoint par un jeune universitaire français, Régis Debray (*voir* pp. 22-23). Le parti communiste, les étudiants ou les mineurs boliviens refusent de le soutenir. Le groupe est cerné par des forces considérables, et les *rangers* du général Barrientos sont appuyés par la CIA (*Central Intelligence Agency*). Le 8 octobre 1967, il est fait prisonnier. L'ordre de son exécution est donné par l'ambassadeur américain. Au soldat qui doit l'abattre et qui tremble, le Che dit : « *Tire, n'aie pas peur, tire!*» À 39 ans, il meurt les yeux ouverts. À Paris, à la Mutualité* en novembre, on célèbre le combat du Che au chant de « *adieu ca-a-amarade, adieu noble cœur*».

Un Robin des bois barbu, aux cheveux longs, au regard ténébreux et rieur sous un béret étoilé, va devenir le modèle du guérillero au service des humiliés. Sa mort au combat contre les forces spéciales boliviennes va enflammer toute une génération en quête d'idéal. La légende du Che a survécu jusqu'à nos jours.

Allemagne : Rudi Dutschke contre Springer

L'Allemagne, divisée en deux après la Seconde Guerre mondiale, est le lieu symbolique du partage du monde en deux blocs. Par-delà cette séparation, la jeunesse allemande qui a vingt ans au milieu des années soixante exige des comptes de la part de ses aînés, car elle estime que la démocratie à l'Ouest n'est qu'un masque.

Page de droite : en avril 1968, en signe de solidarité avec les étudiants allemands, des universitaires autrichiens manifestent dans les rues de Vienne – suite à l'attentat perpétré contre Rudi Dutschke – brandissant son portrait ainsi que des banderoles hostiles au groupe de presse Springer.

La violence en héritage
C'est après Mai 68 que naîtront les groupes armés révolutionnaires comme la RAF (Fraction armée rouge) d'Andreas Baader ou comme le mouvement du 2 juin. Le terrorisme ouest-allemand, italien ou japonais trouve peut-être sa source dans l'héritage de violence légué par la génération précédente.

Le mur de Berlin ou l'Europe coupée en deux

Dans la nuit du 12 au 13 août 1961, la police est-allemande installe des kilomètres de barbelés pour séparer les deux secteurs de Berlin. En 1965, le mur, surveillé par les *Vopos*, fait 25 kilomètres de long : cette police militarisée abat ceux qui veulent passer à l'Ouest. La visite du président Kennedy, en juin 1963, qui déclare «*Ich bin ein Berliner*» («je suis un Berlinois»), renforce le désir d'unité et de rencontre au-delà de la frontière entre les deux blocs.

Dans les autres pays de l'Est souffle le vent de la contestation qui refuse l'ordre communiste. En Pologne, en Tchécoslovaquie, étudiants et intellectuels secouent le carcan des vieilles gardes staliniennes.

Rudi le rouge

Si son itinéraire politique fut bref, il est révélateur de tous les désirs, illusions et déceptions des générations nées à la fin de la guerre en Europe de l'Ouest, et en Allemagne en particulier.

Personnalité forte, étudiant en sociologie à Berlin, il part en 1965 à l'université américaine de Berkeley suivre l'enseignement d'Herbert Marcuse (*voir* pp. 16-17), figure déjà adulée de la culture alternative*.

Changement d'ère | Les trente glorieuses | Mondes en rupture

C'est en 1967, à son retour, qu'il devient une vedette de l'opposition extra-parlementaire en République fédérale d'Allemagne. Le 2 juin de la même année, un étudiant est tué par la police dans une manifestation de protestation contre la venue du chah d'Iran. Puis, le 11 avril 1968, Rudi Dutschke est grièvement blessé par un ouvrier d'extrême droite. Des manifestations très violentes prennent pour cible la presse du groupe Springer, accusée d'avoir incité à la haine contre Dutschke. À Paris, la manifestation de soutien est conduite par des étudiants de Nanterre.

> ### « L'internationale étudiante »
> Elle n'est pas un titre accrocheur pour médias en mal d'effet. Début 1968, à Madrid, des milliers d'étudiants se solidarisent avec les grèves des mineurs. Voilà des mois qu'ils bravent le régime policier de Franco pour mener des actions aux côtés des commissions ouvrières, organisations clandestines regroupant marxistes et chrétiens. En Italie, les étudiants se mobilisent pour soutenir les ouvriers de la Fiat. Aux Pays-Bas, le mouvement *Provo* s'en prend aux codes et aux conformismes sociaux, tourne en dérision la famille royale et ses pompes dans des manifestations *happening** qui regroupent des milliers de jeunes. Au Mexique, la contestation étudiante va s'éteindre en septembre 1968 dans un bain de sang provoqué par la répression militaire.

C'est dans l'opposition extra-parlementaire que s'investit l'aile gauche du mouvement étudiant, tant les partis classiques de l'*establishment* paraissent discrédités. Le SDS, mouvement des étudiants socialistes, a un leader : Rudi Dutschke, dit «Rudi le rouge». Il a aussi un ennemi : la presse du groupe Springer.

Le fond de l'air est rouge

Dans toutes les capitales d'Europe, des jeunes gens font l'apprentissage de l'idée révolutionnaire. Une Internationale jeune fusionne autour d'un même refus – celui de l'ordre bourgeois construit sur les valeurs du capitalisme –, et d'un même projet : rendre au tiers-monde sa juste place.

Le 17 mai 1968, à la Sorbonne, des étudiants préparent une marche vers l'usine Renault de Billancourt.

L'élixir révolutionnaire

L'année 68 est le résultat d'une synthèse où se mêlent Marx et Freud, Lénine et Trotski, Staline et Guevara, Reich et Mao, Marcuse et Giap. Au début des années soixante, les étudiants de gauche politisés sont membres de l'Unef*, qui a beaucoup lutté contre la guerre d'Algérie. À gauche, la référence culturelle dominante reste le marxisme, et le lieu où l'on milite est naturellement le parti communiste. Pourtant, les étudiants communistes critiquent la mollesse de la direction du Parti communiste français (PCF) dans sa dénonciation du stalinisme. l'Unef est qualifiée par Maurice Thorez, alors secrétaire général du PCF, de « *groupuscule gauchiste à la solde de De Gaulle* ». Les étudiants de l'UEC* s'inspirent du modèle italien du PCI (Parti communiste italien) de Palmiro Togliatti, qui prône un « polycentrisme » socialiste non inféodé au modèle soviétique. La tendance « italienne » de l'UEC devient un lieu de contestation bouillonnant d'idées dans le local de la place Paul-Painlevé, à deux pas des éditions Maspéro. À la rédaction de *Clarté*, le mensuel de l'UEC, il n'est pas seulement question de dictature du prolétariat. Le sexe ou le nouveau roman, le planning familial et Louis Althusser (*voir* pp. 22-23) sont autant de sujets de discussions enfumées au café Champo, rue des Écoles, où l'on croise Bernard Kouchner, Serge July, Pierre Goldman (*voir* pp. 22-23), Jean Schalit, Michel-Antoine Burnier, André Sénik.

Génération révolution

La dissolution du secteur lettres au sein de l'UEC par la direction du PCF va engendrer la création de deux groupes gauchistes : l'un trotskiste – la JCR (Jeunesse communiste révolutionnaire) autour d'Alain Krivine et d'Henri Weber –, l'autre maoïsant – l'UJC (ML) (Union des jeunesses communistes marxistes léninistes*), basé à l'École normale de la rue d'Ulm, autour de Robert Linhart, Benny Lévy, Jacques Broyelle. L'esprit de sérieux caractérise la plupart de ces groupes gauchistes, avant tout composés d'étudiants brillants maniant le concept et le manche de pioche avec talent, et désirant ardemment se lier aux «masses populaires». La lecture des saintes écritures (*Le Capital* de Marx), les commentaires des apôtres (*Lire le capital* ou *Pour Marx* d'Althusser) dissimulent d'autres facteurs d'adhésion, moins théoriques et plus intimes. L'antifascisme de ces étudiants devient la résultante active de leurs contradictions entre un engagement de petits-bourgeois et la fascination pour le «prolétaire». C'est l'émergence d'une nouvelle génération politique, fille de la précédente et construite contre elle. Beaucoup de leaders étudiants sont juifs, issus de la génération de ceux qui ont survécu au nazisme. Ils ne revendiquent pas cette identité qui est sublimée dans l'engagement révolutionnaire. En 1967, au moment de la guerre des Six Jours entre Israéliens et Palestiniens, certains de ces étudiants partiront en Israël, tandis que quelques années plus tard, ils participeront au soutien actif de la cause palestinienne. Le conflit du Proche-Orient va abriter une secrète déchirure.

« *Gauchisme : courant politique d'extrême gauche.* »
« *Gauchiste : partisan extrême des solutions de gauche, révolutionnaires dans un parti.* »
Nouveau Petit Robert, mai 1993.
Le mot entre dans le *Larousse* en 1965.

Le mythe révolutionnaire est le moteur commun de toute une jeunesse. Le Viêt-nam est son avant-garde symbolique, les États-Unis son ennemi à abattre. Le fantasme de la guerre de partisan fait vibrer tous les imaginaires : tous les bourgeois sont des pétainistes, tous les CRS des SS.

À Prague, le printemps

À l'Est, la chape de plomb des régimes poststaliniens, vassaux de l'Union soviétique, est devenue insupportable. L'Urss, dirigée par Leonid Brejnev, est plus que jamais fermée à l'extérieur et glacée à l'intérieur. Même si les apparences les plus belliqueuses de la guerre froide se sont atténuées, Moscou entend garder son contrôle sur ses satellites.

Le martyre de Jan Palach
« Le jeudi 16 janvier 1969, au pied du Musée national de Prague, un aiguilleur de tramway voit soudain flamber une torche vivante. [...] On ne saura jamais comment il est arrivé là, s'est arrosé d'essence et immolé par le feu tel un bonze vietnamien dans un suicide atroce et spectaculaire étranger aux traditions de l'Europe. »
Le Monde, 16 janvier 1969.

L'insoutenable légèreté de l'air

Un vent de liberté souffle sur Prague depuis 1964. Il est insoutenable pour la vieille garde stalinienne dirigeant le parti et la Tchécoslovaquie. Il est surtout insoutenable pour le Kremlin qui ne peut admettre de fissure dans le glacis l'entourant. En mai 1964, trois mille étudiants manifestent à Prague contre la dictature. Au sein du PCT (Parti communiste tchèque), Antonin Novotny, à la fois président de la République et premier secrétaire du PCT, est défié par Alexandre Dubcek se trouvant à la tête du groupe des libéraux. À la fin 1967, de nouvelles manifestations étudiantes provoquent la venue de Brejnev, qui affirme que l'Urss n'a pas l'intention de s'ingérer dans les affaires intérieures de la Tchécoslovaquie.

Changement d'ère | Les trente glorieuses | Mondes en rupture

Une parenthèse de liberté

En janvier 1968, le PCT sépare les fonctions de président de la République de celles de premier secrétaire du parti. Alexandre Dubcek en devient le nouveau secrétaire, tandis que, en mars, le général Ludvik Svoboda remplace Novotny à la présidence de la République. Un extraordinaire vent de liberté souffle sur le pays à la recherche d'un «*socialisme à visage humain*», selon l'expression de Dubcek. Ce dernier est sur le fil du rasoir entre la menace de Moscou et la demande de liberté. La contagion gagne la jeunesse polonaise qui s'affronte avec la police de son pays. En juin 1967, des écrivains tchèques avaient dénoncé le gouvernement et l'absence de liberté. Seule la Roumanie, parmi les pays du pacte de Varsovie*, refuse de condamner l'évolution tchécoslovaque. Le 3 août, Dubcek, après avoir rencontré une nouvelle fois Brejnev, se rend au sommet du pacte de Varsovie : il se conclut par un accord favorable à l'expérience de démocratisation en cours. Personne ne croit plus à une remise au pas militaire.

Le coup de Prague

Dans la nuit du 20 au 21 août 1968, les premiers parachutistes de l'Armée rouge s'emparent de l'aérodrome de Prague où atterrit le reste des forces aéroportées. 7000 chars soviétiques franchissent la frontière. Près de 400 000 soldats soviétiques, mais aussi ceux des cinq autres «pays frères», occupent le territoire tchèque. Dubcek est emmené prisonnier en Urss, tandis que d'énormes foules s'opposent aux chars. Il y aura quelques centaines de morts et des milliers de blessés. Le 16 janvier 1969, le suicide par le feu d'un étudiant en philosophie de 21 ans, Jan Palach (*voir* encadré), suscite une intense émotion dans le monde. Il devient le symbole de la résistance nationale à l'oppression. C'est la fin du printemps de Prague. Il faudra attendre la chute du mur de Berlin en 1989 pour qu'un écrivain dissident, membre de la Charte 77*, Vaclav Havel, devienne président de la Tchécoslovaquie, et honore le sacrifice de Jan Palach.

La thèse du complot a bon dos!
Pour trouver des issues au malaise intérieur, les régimes communistes ressortent la thèse du complot intérieur fomenté de l'étranger. En 1967 en Pologne, où il n'y a plus guère de Juifs, déferle une vague d'antisémitisme orchestrée par le général Mockzar, qui dénonce un «complot sioniste» contre le régime socialiste.

À Varsovie et à Prague, la jeunesse réclame de nouveaux espaces de liberté. Les musiques comme les livres n'ont pas de frontières. Les jeunes de l'Est se sentent proches des contestataires de l'Ouest. Et le régime politique qui les encadre leur paraît plus étranger que les airs de rock insufflés de Californie.

22 mars 68, Nanterre : que la fête commence !

Pour réduire la surcharge d'étudiants parisiens, une université toute nouvelle est construite en 1965 à Nanterre-la-Folie. Entourée de bidonvilles, cette université est surtout fréquentée par les étudiants de l'Ouest parisien, plutôt aisés. Le contraste social est vif entre ces derniers et les résidents de la cité universitaire.

« De la misère en milieu étudiant »

Le texte provocateur des situationnistes* de l'Unef* de Strasbourg est sans ambiguïté : « *L'étudiant en France est, après le policier et le prêtre, l'être le plus universellement méprisé.* » À Nanterre, en mars 1967, une première occupation du bâtiment des filles de la cité universitaire – au nom de la liberté de circuler – est sanctionnée par vingt-neuf exclusions. En novembre 1967, une grève est massivement suivie contre la sélection. En janvier 1968, un étudiant aux cheveux roux, Daniel Cohn-Bendit, interpelle le ministre de la Jeunesse et des Sports, Missoffe – venu inaugurer la piscine de l'université –, sur l'absence de prise en compte des questions de sexualité dans la politique de la jeunesse. Le même mois, le doyen de l'Université Grappin fait appel à la police contre «les enragés». La succession des bagarres avec les «fafs» (fascistes) solidarise et radicalise les étudiants autour des noyaux activistes. C'est autour de la critique du rôle des sciences humaines et en particulier de la sociologie dans le système capitaliste que se cristallise la contestation.

Le Mouvement du 22 mars

Tandis que l'actualité est nourrie des grèves ouvrières, et des autres mouvements étudiants dans le monde, des militants du Comité Viêt-nam national (CVN*) attaquent la banque *American Express* le 22 mars.

« *Professeurs vous êtes vieux et votre culture aussi.* »
« *Jouir sans entraves, vivre sans temps morts.* »
« *Fascistes échappés de Diên Biên Phu vous n'échapperez pas à Nanterre.* »
« *La révolution commence où commence le plaisir.* »
Graffitis et slogans peints sur les murs de l'université de Nanterre.

Changement d'ère | Les trente glorieuses | Mondes en rupture

Des étudiants de Nanterre sont arrêtés. Pour exiger la libération de leurs camarades, cent quarante-deux étudiants occupent la salle du conseil de l'université et rédigent le manifeste du «Mouvement du 22 mars». Les assemblées générales se succèdent, réunissant des milliers d'étudiants organisés ou non, débattant des luttes du tiers-monde, de la contraception, de la solidarité étudiants/ouvriers ou de la culture. La rumeur court d'une attaque de groupes d'extrême droite contre Nanterre le 2 mai. L'université se transforme en camp retranché avec l'aide des maoïstes qui ont rejoint la mobilisation étudiante jusque-là taxée de petite-bourgeoise. La nuit se passe à fabriquer des lance-pierres, des boucliers et des pièges. Devant la menace de violences, l'université est fermée le 3 mai par le doyen Grappin. Chassée de ses murs, Nanterre en colère se déplace à la Sorbonne où un meeting ininterrompu se tient le même jour dans la cour. Le ministre de l'Éducation nationale, Alain Peyrefitte, décide de faire évacuer la Sorbonne par la police. Des étudiants sont arrêtés. Dès lors, c'est l'émeute et les premiers pavés se mettent à voler sur les cars de police aux cris de «*libérez nos camarades*».

Daniel Cohn-Bendit, ici en avril 1968, boulevard Saint-Michel à Paris, s'impose comme le leader de la révolte étudiante.

«Dany le rouge»

Mai 68 ne se serait peut-être pas déroulé comme il le fut sans la rencontre de crises additionnées et d'un jeune étudiant en sociologie : Daniel Cohn-Bendit, dit Dany, et baptisé par les médias «Dany le rouge». Sa verve, son intelligence des situations, son absence de fanatisme et son humour ont toujours permis de donner humanité et drôlerie à ce qui aurait pu tourner au drame.

À 23 ans, né en France de parents juifs allemands ayant fui le nazisme, et retourné en Allemagne pour ses études secondaires, il est parfaitement européen, nourri de ses deux cultures. Antiautoritaire plutôt qu'«anar», il va incarner l'esprit de mai.

C'est à partir de Nanterre que tout va s'enflammer. Le paysage s'y prête : décor de chantier, bidonvilles, population jeune, découverte de la liberté sexuelle, désir de prise de parole, bagarres fréquentes avec les étudiants d'extrême droite, professeurs brillants ou conservateurs bornés.

Barricades à Paris

La « manif » politique change de ton dès le 3 mai 68. Les arrestations, les blessés, la violence, l'incompréhension des autorités de l'État, leur incapacité à saisir le mouvement vont faire basculer la situation. Seul le préfet de police de Paris, Maurice Grimaud, sait empêcher le pire en interdisant à la police de tirer.

« Prenez garde ! […]
V'là jeune garde,
v'là jeune garde,
qui descend
sur le pavé... ».
La Jeune Garde,
chant révolutionnaire.

Voitures calcinées, pavés arrachés, c'est un spectacle de désolation qu'offre le Quartier latin – véritable champ de bataille – aux Parisiens abasourdis, au petit matin du 11 mai 1968, après une terrible nuit de combats.

La jeune garde

Le 6 mai, à l'appel de l'Unef*, plusieurs dizaines de milliers de personnes se retrouvent place Denfert-Rochereau pour dénoncer la répression. Il y a eu en effet six cents interpellations au Quartier latin le 3 mai. Les rangs des étudiants se sont étoffés. Les professeurs sont là, mais aussi de jeunes ouvriers et des lycéens. La foule scande *« nous sommes tous des Juifs allemands »*, en réponse au mot de Georges Marchais dénonçant *« l'anarchiste allemand Cohn-Bendit »*. Un deuxième choc policier a lieu ce 6 mai, boulevard Saint-Germain. Alain Geismar, secrétaire général du SneSup*, syndicat national de l'enseignant supérieur, ainsi que Jacques Sauvageot, président de l'Unef, deviennent les interlocuteurs et porte-parole du mouvement avec Dany Cohn-Bendit.

Changement d'ère | Les trente glorieuses | Mondes en rupture

La nuit des barricades

Le 10 mai, près de dix mille personnes se dirigent vers la prison de la Santé pour réclamer la libération des étudiants arrêtés. Devant le service d'ordre policier, la manifestation reflue vers le Quartier latin. Coude à coude, et encadrée par un service d'ordre (SO*) étudiant, la manifestation évite tout incident. Vers 22 heures, le quartier est encerclé par la police, tandis qu'une mutitude de barricades, faites de voitures ou de matériaux de chantier, sont érigées pour barrer les rues face à la police et aux CRS. D'heure en heure, les choses prennent une allure insurrectionnelle.

Grâce aux radios privées, *Luxembourg et Europe 1*, des dialogues s'installent entre le recteur Roche, Alain Geismar et Dany Cohn-Bendit. Souvent, les habitants du quartier manifestent leur sympathie pour les étudiants. Les négociations échouent. «*Ce qui se passe ce soir dans la rue est que toute une jeunesse s'exprime contre une certaine société*», déclare Dany Cohn-Bendit.

L'assaut

À deux heures quinze, l'ordre est donné aux forces de police de démanteler les barricades et de disperser les manifestants. Cinq cents policiers se mettent en marche et lancent sans arrêt des grenades lacrymogènes. Dans le fracas des explosions et des fumées, des riverains jettent de l'eau pour dissiper les gaz. Des combats extrêmement violents se déroulent. Les barricades et les voitures sont incendiées. Jusqu'à quatre heures du matin, tout le secteur de la rue d'Ulm ressemble à un champ de bataille dévasté. Toutes les barricades sont reconquises par la police, tandis que les derniers irréductibles se réfugient dans les locaux de Normale Sup. Vers 5 h 30, Dany Cohn-Bendit lance à la radio un appel à la dispersion. Paris se réveille stupéfait et les yeux rougis. Miraculeusement, il n'y a pas un mort à déplorer lors de cette nuit-là, seulement un millier de blessés…

« *Nous sommes tous des Juifs allemands !* »
« *Nous sommes un groupuscule !* »
Slogans des manifestations de début mai.

L'État ne comprend pas la situation. Ni la police, ni les Renseignements généraux, ni la presse n'ont vu venir l'orage ; les leaders politiques de droite comme de gauche non plus. Entre le « mouvement » et la police, il n'y a rien. Ne voulant pas perdre la face devant « les enragés », le pouvoir ne dispose plus que de la matraque comme dernier argument.

La Commune étudiante

Page de droite :
le matin du 13 mai
1968, dans la cour
de la Sorbonne
occupée,
des étudiants
tiennent un meeting,
avant la grande
manifestation
de l'après-midi
organisée avec les
centrales syndicales.

La nuit du 10 mai, une partie de la France est restée l'oreille collée à son transistor, abasourdie par les nouvelles. Les parents ont vainement attendu leurs enfants. Dès le 11 mai, un mouvement de grève généralisée affecte tous les lieux d'enseignement. Les curieux viennent découvrir le champ de bataille.

Le joli mois de mai

La France entière a suivi les événements grâce aux radioreporters. On y a entendu Dany Cohn-Bendit appeler tous les syndicats à manifester leur solidarité. Le choc est tel que les responsables ne peuvent s'y dérober. Après la Sorbonne, le théâtre de l'Odéon et la faculté de Censier sont occupés et deviennent autant d'assemblées générales permanentes.

Progressivement, la France s'installe dans le refus et la grève. Georges Pompidou, Premier ministre, de retour d'Afghanistan, estime qu'un apaisement va calmer la dynamique en marche. Il annonce que les manifestants arrêtés seront graciés et dénonce les *« provocations de quelques agitateurs »*. Georges Séguy, le secrétaire général de la CGT (Confédération générale du travail), feint d'ignorer l'ampleur d'un mouvement qu'il ne contrôle pas : *« Cohn-Bendit, qui est-ce ? »*, demande-t-il, tandis que la contagion gréviste gagne les entreprises.

Une prise de relais spontanée
Le relais du mouvement étudiant est repris par les éléments les plus combatifs des luttes ouvrières, par les syndicats, les organisations ouvrières ou par la foule des gens qui se retrouvent spontanément dans le refus de cette société.

« 10 ans ça suffit ! », slogan de la manifestation du 13 mai.
« Nous occupons les facultés, vous occupez les usines ». Tract du Mouvement du 22 mars*.

« Étudiants, travailleurs, même combat ! »

Partout, à Paris et en province, les Français sont dans la rue, et viennent assister aux extraordinaires débats permanents qui rythment la vie de la Sorbonne et des universités occupées. Le 13 mai, une manifestation unitaire regroupe l'ensemble des forces de gauche. Elle rassemble des centaines de milliers de personnes à Paris et en province. Deux slogans

| Changement d'ère | Les trente glorieuses | Mondes en rupture |

dominent : «étudiants, travailleurs, même combat !» et «10 ans ça suffit». En tête du cortège étudiant, trois visages neufs : Jacques Sauvageot, Alain Geismar et Daniel Cohn-Bendit. Est-ce la fin du mouvement spontané et la prise en main par les représentations syndicales? Une grève sauvage chez Sud Aviation à Nantes relance la machine. Renault s'enrhume : les usines de Flins puis de Billancourt se mettent en grève, la France entière va tousser. Quand le général de Gaulle revient de Roumanie, il trouve six millions de grévistes dans un pays totalement paralysé. Dans les usines et les bureaux, tous les employés ou ouvriers discutent, au sein du comité de grève, de l'organisation du travail, des salaires, de la hiérarchie. Pour certains, c'est une découverte, une première prise de parole, un autre rapport à leur vie.

La Bourse brûle

La Sorbonne ou l'Odéon occupés offrent l'image d'un *happening** permanent où les stands politiques côtoient les orchestres de jazz, les débats sur le dépérissement de l'État ou encore sur l'amour libre. Des foules de badauds autant que de militants s'y pressent. Paris est désormais une ville où l'on marche. Dans la rue, les manifestations se durcissent. Le 24 mai, De Gaulle annonce à la télévision, dans l'indifférence générale, un projet de référendum sur la «participation». La manifestation du soir tourne à l'émeute. Un début d'incendie à la Bourse et la dureté des affrontements font de cette nuit l'une des plus violentes de mai. Les CDR (comités de défense de la République) se créent pour lutter contre la «*chienlit*» (selon l'expression de De Gaulle).

Les deux France – ouvrière et étudiante – vont fusionner pendant cette deuxième semaine de mai. Une multitude de grèves et conflits sociaux en province et à Paris vont rencontrer le mouvement des étudiants. Le Premier ministre Georges Pompidou fait rouvrir la Sorbonne. Elle va devenir la citadelle et le forum de la révolte.

Prendre la parole

Selon l'expression de l'historien Michel de Certeau, en mai 68, les Français « *ont pris la parole comme en 1789 ils avaient pris la Bastille* ». La « parole », c'est aussi cette expression spontanée qui se libère à propos de toutes les choses de la vie, professionnelles, amoureuses, personnelles ou collectives. On se parle. On refuse d'obéir. C'est une nouveauté.

« *Parlez à vos voisins* »

« *Dans ces journées de mai foisonnantes, luxuriantes, débridées, on oublia la prise du Palais d'hiver et l'on se souvint au contraire des exubérances de 1848, Paris livré aux camelots de l'utopie, aux têtes éventées des clubs, aux vociférateurs de l'idéal* », écrit l'historien Michel Winock (dans *L'Histoire*, « Les années De Gaulle », n° 102, juillet-août 1987).

C'est bien l'esprit de mai. Si ce n'est pas le temps des cerises, c'est une révolution culturelle sans visage précis qui va bouleverser la France jusqu'à l'été. Elle surprend toute la classe politique de gauche comme de droite, les commentateurs, les sociologues patentés. Ça n'était pas prévu et c'est ce qui fait la magie du moment.

Le mélange de discours dogmatiques et de délires, de langue de bois et de poésie, la spontanéité et l'absence de hiérarchie donnent la saveur de cet imprévu mois de mai.

« *Ne prenez plus l'ascenseur, prenez le pouvoir !* » (graffiti Nanterre)

Le grand chambardement qui fait voler en éclats des situations acquises et des statuts bétonnés n'affecte pas seulement les mandarins de tous poils au sein de l'université ou dans les autres lieux de pouvoir. Les cadres de la classe ouvrière,

« *Il est interdit d'interdire.* »
« *Soyez réaliste, demandez l'impossible.* »
« *J'ai quelque chose à dire mais je ne sais pas quoi.* »
« *Les hommes font l'histoire, mais ils ne savent pas l'histoire qu'ils font.* »
Karl Marx (1818-1883).
Graffitis de Mai 68.

Changement d'ère | Les trente glorieuses | Mondes en rupture

les révolutionnaires patentés sont aussi surpris par l'incendie. C'est peu de dire que le pouvoir s'est montré sourd et aveugle au feu qui couvait. On reste confondu devant la sottise politique de la répression des premiers jours : les coups et les grenades ont fabriqué des «enragés» par milliers. Mais il serait malhonnête d'estimer *a contrario* que la gauche ou que les divers groupuscules avaient tout imaginé. La spontanéité de l'insurrection prend de cours les révolutionnaires eux-mêmes. Bien sûr, le terrain avait été rendu favorable par la sédimentation des luttes.

Le PCF (Parti communiste français) n'y voit, quant à lui, qu'une vaste manipulation, et considère les groupes d'extrême gauche comme des marionnettes entre les mains du pouvoir.

⌐ « *On ne tombe pas amoureux d'un taux de croissance* » (graffiti, Sorbonne)

La prise de parole est aussi affaire d'artiste. Tandis que les murs des universités et du Quartier latin se couvrent d'affiches et que le comité d'action des Beaux-Arts produit des milliers de *dazibao* (journaux muraux chinois), le festival du cinéma de Cannes est aussi violemment interrompu et mis en cause par les cinéastes de la «nouvelle vague». Truffaut, Godard, Chabrol jettent le trouble dans les pompes officielles. Ce qui est en cause, c'est non seulement un style, une écriture, mais aussi le rôle de la production culturelle dans la société.

Dans le théâtre de l'Odéon occupé et bondé, on reconstruit le monde tous les soirs à guichets fermés. Quand, enfin, de nombreux journalistes de l'ORTF (Office de radio et de télévision française) se mettent en grève contre la censure et la parole imposée, cela révèle l'immensité de la crise au plus haut niveau du pouvoir. Paradoxalement, celui-ci va savoir profiter au mieux de cette solitude : il reste l'ultime recours face à un mouvement insaisissable.

Ailleurs, les étudiants vont prendre la parole En septembre 1968, la révolte étudiante au Mexique est réprimée dans le sang. À Pékin, sur la place Tian'anmen, en 1989, la révolte étudiante est écrasée par les chars chinois.

C'est peut-être un nouveau savoir-vivre ensemble qui s'invente au cours de ce mois de mai.
Un fait est incontestable : la société française prend un coup de jeune avec tout ce que cela comporte comme imprévus, contradictions, incompréhensions, coups de foudres, délires.
Les Français découvrent et se découvrent.

La grève, les accords de Grenelle et Charléty

Mai 68 est une histoire à plusieurs vitesses.

**Malgré la magie des slogans, la logique des revendications ouvrières n'a pas fusionné avec celle des étudiants.
Les syndicats sont méfiants envers les discours ou les gesticulations étudiantes.**

Le 26 mai 1968, Georges Pompidou, Premier ministre, annonce la signature des accords de Grenelle.

La France s'arrête

Le lundi 20 mai, on évalue le nombre de grévistes à six millions. On ne sait bientôt plus qui est en grève et qui ne peut plus travailler faute de transports, d'énergie ou faute de matériel. On estime à 10 millions le nombre de salariés qui ne travaillent pas le 24 mai. Toute l'activité industrielle et économique du pays est paralysée. C'est le Premier ministre Georges Pompidou et son conseiller, Jacques Chirac, qui vont progressivement dénouer les fils du conflit social. Au fond, personne ne désire qu'il s'enlise. Seule la base ouvrière se durcit dans certaines entreprises. Autour de la table, on négocie un protocole d'accord général sur les salaires, l'augmentation du Smig (salaire minimum interprofessionnel garanti), la réduction des horaires, l'abaissement de l'âge de la retraite et l'instauration de la section syndicale d'entreprise (*voir* encadré).

Grenelle et la négociation sociale

Benoit Frachon, 73 ans, qui fut il y a 32 ans signataire des accords de Matignon*, représente la CGT (Confédération générale du travail) avec Georges Séguy et Henri Krasucki. Dans un premier temps, le gouvernement accepte la majoration d'un tiers du Smig. L'échelle mobile

Changement d'ère | Les trente glorieuses | Mondes en rupture

des salaires et la représentation syndicale sont des questions bien plus ardues. Eugène Descamps, secrétaire de la CFDT (Confédération française et démocratique du travail), constate que les «*bruits des usines ne parviennent pas jusqu'à ce ministère*». Le paiement des jours de grève est admis à 50%. Les deux leaders CGT et CFDT, Georges Séguy et Eugène Descamps, viennent le 27 mai à l'usine Renault de Billancourt – la «citadelle ouvrière» – présenter l'accord aux ouvriers qui le rejettent. Dans bien des cas, le refus est motivé par l'attente insatisfaite de réformes structurelles construisant un «pouvoir ouvrier» dans l'entreprise. Cependant, l'accord-cadre finit par être adopté dans les entreprises. Il faut savoir arrêter un conflit, camarade!

Charléty, une affaire ratée

La gauche est pétrifiée; quant au PCF (Parti communiste français), il fait dire à Sartre : «*Les communistes ont peur de la révolution.*» Les hommes politiques de la gauche traditionnelle ne voient dans le désarroi du pouvoir qu'une opportunité pour le prendre. Ils tentent de récupérer le mouvement. Le 27 mai, un grand rassemblement au stade Charléty réunit les étudiants, l'Unef* et la gauche parlementaire (Parti socialiste unifié – PSU – dirigé par Michel Rocard, et la Fédération de la gauche démocratique et socialiste – FGDS). Mendès France est présent mais ne prend pas la parole. «*Ce n'est qu'un début, continuons le combat!*» Les slogans s'inscrivent dans la durée. Il y a comme une hésitation sur les perspectives présentes. Le pouvoir vacille, mais est-on prêt à le conquérir par la force et la révolution? On chante *L'Internationale*, l'extrême gauche conspue Séguy, secrétaire général de la CGT, et applaudit Geismar, secrétaire général du SneSup*, tandis que François Mitterrand annonce, le 28, sa candidature en cas d'élection présidentielle. La gauche cherche un projet mais le «mouvement» met en cause la légitimité de ceux qui prétendent le porter. Stationnés aux portes de Paris, des blindés de l'armée font penser que le pouvoir n'est pas prêt de se laisser faire.

L'un des paradoxes de Mai 68 vient de la dévotion à la classe ouvrière et à sa fonction salvatrice. Or le «prolo» et les «masses» ne semblent pas être prêts pour le grand rendez-vous messianique. Le «peuple» rédempteur ne partage pas les mêmes ambitions que ceux qui veulent le servir.

Du côté de De Gaulle : une situation insaisissable

La nuit du 10 mai – la nuit des barricades – le général de Gaulle dort et nul n'ose le réveiller. Les ministres, autour de Louis Joxe qui assure l'intérim de Georges Pompidou absent, le préfet Maurice Grimaud, et Alain Peyrefitte, ministre de l'Éducation nationale, sont perplexes sur les décisions à prendre.

On ne réveille pas le roi ! L'étonnement et la vacance du pouvoir limitent les décisions des ministres à une disposition et une attitude paradoxales. L'une permet d'éviter le pire : ne pas tirer ; l'autre ne fait que renforcer le mouvement : réprimer.

Un conservateur révolutionnaire

« Dix ans, ça suffit !» Quelle insolence devant le vieux général ! Au dévouement du héros de 1940, à l'homme du renouveau et de l'indépendance de la France, la dévotion de la foule fait désormais défaut. Le divorce est consommé entre le vieux grand chef et la frange jeune de ses sujets. À ses proches, De Gaulle confie qu'il ne saisit pas la situation. Quand, au début de 1968, on fait part au Général des affaires de droit de visite garçons-filles dans les cités universitaires (*voir* pp. 18-19), il répond : « *Qu'on leur donne du bromure !*» Pour De Gaulle, la France le préoccupe plus que ses habitants et ces questions lui paraissent subalternes. Il se retrouve dans une attitude anachronique par rapport à l'esprit du temps. Le Général est l'homme des tempêtes passées, pas du simulacre de révolution.

La visite à Baden-Baden

Le 29 mai, le Conseil des ministres est annulé à la dernière minute. Le Général fait part de son départ à Pompidou et lui dit : « *Je vous embrasse.*» La stupéfaction puis l'inquiétude gagnent le gouvernement qui pense à une démission. La rumeur de coup de force révolutionnaire gagne la droite. Plus d'administration, plus de transports, plus d'essence, plus de télévision, plus rien. Le pouvoir de la rue va-t-il prendre le pouvoir ?

Page de droite : bras dessus, bras dessous, Michel Debré et André Malraux en tête du cortège, lors de la manifestation de soutien au général de Gaulle, le 30 mai 1968.

Changement d'ère

Les trente glorieuses

Mondes en rupture

Disparu à 11 heures, De Gaulle réapparaît à Colombey-les-Deux-Églises à 18 heures. On apprend qu'il s'est rendu dans la journée à Baden-Baden voir son fidèle allié, le général Massu, commandant des forces françaises d'Allemagne. Le 30 mai, De Gaulle annonce ses décisions à la télévision. Le ton est dur. En quatre phrases, il rétablit son assise : *« Dans les circonstances présentes je ne me retirerai pas »*, [...] *« les politiciens au rencart »*, [...] *« l'entreprise totalitaire »*, [...] *« situation de force »*. La France conservatrice retrouve un chef. L'Assemblée nationale est dissoute et le gouvernement remanié en attendant de nouvelles élections législatives.

« La chienlit, non ! » À son retour de Roumanie le 18 mai, De Gaulle est furieux. *« La récréation est terminée »*, dit le Général à ses ministres. *« C'est le bordel partout »*, lance-t-il à Georges Pompidou, son Premier ministre. Et d'ajouter : *« La réforme oui, la chienlit, non ! »* Le mot est resté célèbre.

La revanche ou le raz-de-marée gaulliste

Le 30 mai, une gigantesque manifestation de soutien à De Gaulle organisée par les CDR* remonte les Champs-Élysées et montre que l'opinion a basculé. Tous les barons du gaullisme sont là. André Malraux, Michel Debré sont en tête. *« La récréation est terminée »*, a déclaré De Gaulle (*voir* ci-dessus). Des manifestations gaullistes se produisent dans les grandes villes. Les pompes à essence sont réapprovisionnées. Les Français partent de façon massive pour le week-end de Pentecôte. Le 7 juin, tous les membres de l'ancienne OAS* encore en prison sont graciés ou rentrent d'exil.

Le travail reprend progressivement dans les entreprises, tandis qu'à Renault-Flins, où de violents affrontements marquent la reprise, un lycéen, Gilles Tautin, meurt noyé pour échapper aux gendarmes...

Pendant près d'un mois, le pouvoir gaulliste chancelle tant la situation lui échappe et tant les acteurs lui sont étrangers. À tel point que De Gaulle quitte Paris le 29 mai pour prendre du recul. Il va voir le général Massu, le fidèle. À son retour, il reprend les rênes de l'État. L'homme du refus devient un homme d'ordre.

Paysages après la bataille

Pour certains, l'heure de la revanche a sonné. Les groupes révolutionnaires sont interdits. On recouvre les pavés du boulevard Saint-Michel d'une couche de goudron protectrice. Au festival d'Avignon, en août, le 22 mars* refait parler de lui. Le public ne suit pas. Il veut du spectacle.

À gauche, pertes et décomptes

Les révolutionnaires ont perdu la bataille, mais désiraient-ils vraiment prendre le pouvoir ? La gauche institutionnelle a perdu la guerre, alors qu'elle désirait le pouvoir. Mitterrand, à l'affût, a cru son heure venue et en a été provisoirement pour ses frais. « Le politicien au rencart » (expression de De Gaulle) devra attendre, lui aussi, pour prendre sa revanche. Le Parti communiste français (PCF) et la Confédération générale du travail (CGT) ont aussi perdu tant leurs directions étaient structurellement incapables de prendre la mesure du mouvement, de son originalité, de sa jeunesse. Formés à l'école de la vieille garde stalinienne, les cadres du PCF sont restés figés dans des attitudes, des comportements politiques à contre-courant de l'évolution intellectuelle, culturelle et sociale. En août 1968, quand les forces du pacte de Varsovie* envahissent la Tchécoslovaquie (*voir* pp. 32-33), le PCF « désapprouve », mais le brejnevisme de son secrétaire général, Georges Marchais, dément cette réprobation. Il faudra attendre de nombreuses années, après Jaruzelski en Pologne, le conflit en Afghanistan, et surtout Gorbatchev et la chute du mur de Berlin en 1989, pour que le PCF fasse sa mue.

À droite, gains et profits

La droite a gagné la bataille électorale avec une hégémonie telle qu'elle devra partager son pouvoir

La fête est finie
Les citadelles tombent.
Occupés par des marginaux, surnommés « les Katangais », la Sorbonne et l'Odéon sont devenus des bateaux ivres. Ils sont évacués en juin par la police. Les lycées se remettent en marche, le bac approche, il faut préparer les vacances.

plus tard. Pompidou est le vrai vainqueur. Il est celui qui a su garder le cap et faire adopter au Général l'idée de la dissolution de l'Assemblée nationale (*voir* pp. 44-45). De Gaulle a gagné une bataille qui n'était pas la sienne, mais celle de la droite réactionnaire et de la bourgeoisie conservatrice.

En revanche, il en a perdu une autre : il n'est plus l'homme de la situation, il est dépassé par une France qui ne veut plus être dirigée par un patriarche. Dans une France en pleine mutation, il a fait son temps. Maurice Couve de Murville devient Premier ministre. Edgar Faure, ministre de l'Éducation nationale, prépare une loi d'orientation pour l'enseignement supérieur. Pompidou, le futur président de la République, est là, calme, auvergnat, rassurant les braves gens, les épargnants et les craintifs, tandis que De Gaulle parlait encore de grandeur et de rêves en majesté. À la radio, on entend le tube de l'été, *Une petite fille de Français moyen*, c'est le programme de Sheila...

Ailleurs, mutation et modernisation

La jeunesse a gagné le droit à l'impertinence, à l'insubordination, à la mise en cause des autorités fondées sur un pouvoir hiérarchique et non sur la compétence ou l'imagination. Les femmes ont gagné leur droit à l'autonomie. C'est sans doute l'acquis le plus durable et le plus positif. C'est une autre France qui apparaît. Dans un premier temps, elle est à l'image de sa majorité politique : bourgeoise et moderne, elle préfère les affaires à « *une certaine idée de la France* » (expression de De Gaulle).

Le pompidolisme naissant annonce le giscardisme. Le référendum du 27 avril 1969 sur le Sénat et la régionalisation est un échec pour De Gaulle. Le 28, il communique : « *Je cesse d'exercer mes fonctions de président de la République.* »

Le 9 novembre 1970, à Colombey-les-Deux-Églises, De Gaulle meurt.

« *O Mort,*
vieux capitaine,
il est temps !
levons l'ancre !
Ce pays
nous ennuie,
ô Mort !
Appareillons ! »
Charles Baudelaire
(1821-1867),
Les Fleurs du mal,
« **Le Voyage** » (VIII),
1857.

Les élections législatives de juin 1968 sont un triomphe pour le parti gaulliste : l'UDR (Union pour la défense de la République). C'est le seul groupe politique à détenir la majorité absolue à l'Assemblée nationale. Le grand vainqueur, c'est Georges Pompidou. Il devient président de la République en 1969.

La pensée 68

Une pensée dogmatique ?
La radicalité, le «jeunisme», les vertus de la marginalité, la mise en cause outrancière des codes sociaux, le scepticisme absolu sur ce qui est communément admis, la psychologisation des rapports de classes, le «psychanalysme» reconstruisent d'autres dogmes. C'est l'autre face de la pensée issue de 68.

Élaborer un nouveau monde
De brillants intellectuels – Jean-François Lyotard, Alain Touraine, Henri Lefèvre, Gilles Deleuze, Félix Guattari, Jean Baudrillard, Michel Foucault, François Chatelet – ont accompagné le mouvement de Mai. Ils ont tracé de nouvelles pistes, souvent très contestables, pour penser la société, le rapport au monde.

L'apparence fut politique. On y entendit les mots de la politique et fréquemment la langue de bois. Pourtant, avec 68, c'est autre chose qui a émergé sous la prégnance du politique. La culture dominante à gauche s'était construite autour du marxisme. Cette orthodoxie va décliner puis s'effondrer.

Du sexe dans les infrastructures

Rien n'est épargné par la contestation de l'ordre en place : institutions, lois, famille, école, religion, sexualité, hiérarchie, organisation du travail, consommation. «*C'est le peuple des épidémies psychiques, des convulsions historiques de masse*», disait Freud (1856-1939) des Français à la fin du siècle dernier. À l'interprétation économique de la crise née de la lutte des classes, Mai 68 ajoute de nouveaux facteurs : la classe d'âge, le désir, le plaisir, la culture entrent dans les infrastructures, c'est-à-dire dans les déterminations de la pensée. On ne lit plus la société à travers la seule analyse marxiste, mais à travers les lunettes de Sigmund Freud, Wilhelm Reich (psychanalyste américain, 1897-1957) ou Herbert Marcuse (*voir* pp. 16-17). La mise à bas de l'appareil conceptuel qui avait balisé la pensée depuis le début du siècle s'accompagne de débordements destructeurs. On confond mandarinat et culture, pouvoir et savoir, fascisme et esprit des lois. La radicalité des discours engendre l'outrance, faisant de l'outrage une vertu révolutionnaire, résumée par le calamiteux slogan : «*Il est interdit d'interdire.*»

Du culte des masses au culte du «moi je»

Sorti en 1967, *Morgan*, un fabuleux film anglais de Karel Reisz, raconte les déboires amoureux, sexuels et politiques de son héros. La liberté de ton, l'intrigue loufoque, drôle et grimaçante, la part des fantasmes,

Changement d'ère | Les trente glorieuses | Mondes en rupture

le thème de l'innocence animale, la dénonciation du stalinisme, des conformismes bourgeois, l'autodérision annonçaient l'esprit de Mai 68. Le film se termine par un plan montrant Morgan interné dans un asile d'aliénés et construisant un parterre de fleurs qui représente une faucille et un marteau entrecroisés. Il exprimait à la fois, et avant l'heure, le désir d'une liberté impossible, l'incommunicabilité des êtres et la critique des croyances émancipatrices (marxisme, léninisme…) ayant tranformé le siècle en cauchemar.

Quelques années plus tard, ceux qui avaient fait du Viêt-nam le phare de la «libération-des-peuples-en-lutte-contre-l'impérialisme» en venaient à vouer aux gémonies le goulag vietnamien. On prit alors la mesure de l'erreur. Dans un extraordinaire retour de balancier, les anciens adorateurs du «Grand timonier» (Mao) métamorphosés en «nouveaux philosophes» autoproclamés se mirent en rupture avec le culte des masses : le culte du «moi je» s'imposa rapidement avec le succès médiatique que l'on sait.

Le plaisir plutôt que la rédemption, l'individu plutôt que les masses, Freud plutôt que Marx, l'inconscient plutôt que les conditions économiques deviennent des approches bousculant les concepts d'analyse de la société. Le doute s'installe chez ceux-là mêmes qui avaient fait du marxisme un culte incontournable.

Sartre ou Aron, les paradoxes de Mai 68

Trente ans après 68, quel jugement porter sur cette appréciation « *mieux valait se tromper avec Sartre qu'avoir raison avec Aron* » ? Ces deux brillantes figures résument à elles seules les contradictions de cet extraordinaire mois de mai. Depuis la guerre d'Algérie, le couple Sartre-Aron s'affronte.

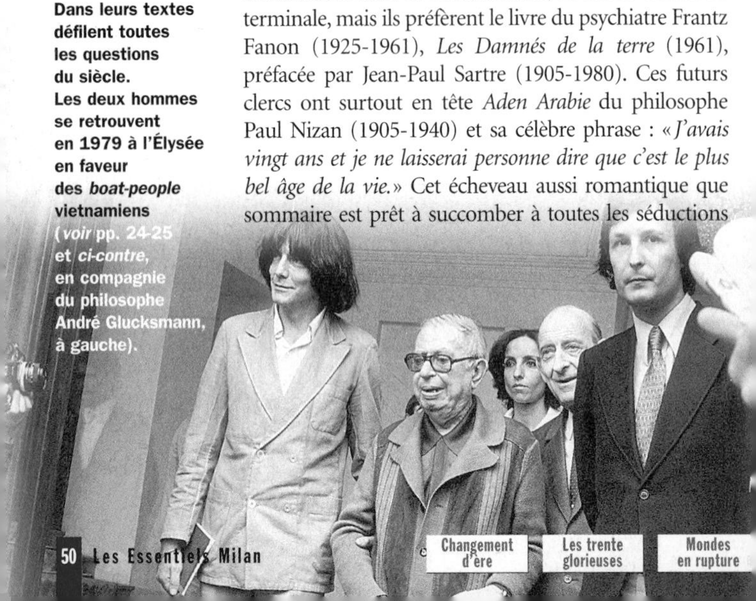

À chacun sa publication Sartre se confond avec sa revue, *Les Temps modernes*, qui a jalonné cinquante années de débats intellectuels et politiques. Aron est chroniqueur au *Figaro*. Dans leurs textes défilent toutes les questions du siècle. Les deux hommes se retrouvent en 1979 à l'Élysée en faveur des *boat-people* vietnamiens (*voir* pp. 24-25 et *ci-contre*, en compagnie du philosophe André Glucksmann, à gauche).

Des intellectuels dans l'histoire

Mai 68 est d'abord une histoire fabriquée par des intellectuels, c'est-à-dire par des gens voulant penser le monde qui les entoure pour pouvoir agir sur lui. Intellectuels, ils le sont tous, ces étudiants de sociologie qui se posent la question «*pourquoi des sociologues?*», refusant le rôle que la logique capitaliste veut assigner aux sciences humaines : servir le système pour faire du profit. Ils ont en mémoire le «manifeste des 121*» défendant le droit à l'insoumission; ils ont lu Camus en terminale, mais ils préfèrent le livre du psychiatre Frantz Fanon (1925-1961), *Les Damnés de la terre* (1961), préfacée par Jean-Paul Sartre (1905-1980). Ces futurs clercs ont surtout en tête *Aden Arabie* du philosophe Paul Nizan (1905-1940) et sa célèbre phrase : «*J'avais vingt ans et je ne laisserai personne dire que c'est le plus bel âge de la vie.*» Cet écheveau aussi romantique que sommaire est prêt à succomber à toutes les séductions

Changement d'ère

Les trente glorieuses

Mondes en rupture

intellectuelles, les plus drôles comme les plus fanatiques, les plus libertaires comme les plus dogmatiques.

Sartre à la Sorbonne

Sartre est un compagnon de route ayant pris des risques réels. Cible de l'OAS* pendant la guerre d'Algérie (1954-1962), son nom reste associé à toutes les luttes de libération anticolonialistes. À l'image de ceux qui sont sur les barricades, Sartre, selon Roland Dumas, « *est passé à côté de la guerre d'Espagne, à côté du Front populaire, la Résistance? Oui, mais si peu... Il aura donc manqué tous les grands événements politiques, sauf celui-là, la guerre d'Algérie* » (in *Sartre* de Annie Cohen-Solal, 1985). La radicalité du mouvement, son originalité, séduisent immédiatement Sartre et Simone de Beauvoir (1908-1986). Le 20 mai, il intervient dans le grand amphi de la Sorbonne où il évoque la « *liaison du socialisme et de la liberté* ».

« *Un ruissellement de connerie* »

Raymond Aron (1905-1983) a choisi le camp de la mesure plutôt que cette « *croisade sans croix, cette lutte sans objet* ». Pour Aron, c'est un « *psychodrame* » qui agite la France. Il est conforté par l'appréciation du philosophe Alexandre Kojève sur le mouvement : il le qualifie de « *ruissellement de connerie, de pseudo-révolution, puisqu'il n'y a pas de morts* ». Totalement à contre-courant, au nom de sa responsabilité de professeur, Aron s'indigne du « terrorisme intellectuel » d'une minorité et de la passivité de ses collègues. Sartre lui répond violemment : « [...] *cela suppose qu'on ne considère plus comme Aron que penser seul derrière son bureau – et penser la même chose depuis trente ans – représente l'exercice de l'intelligence.* » La polémique ne se limitera pas aux questions universitaires. Tandis que Sartre se gauchise au point de devenir la caution de la Gauche prolétarienne*, maoïste, Aron voit dans le réformisme* la seule solution pour débloquer la société française. Il faudra attendre la fin des années soixante-dix pour que l'on rende justice à cette pensée exigeante, exempte de démagogie.

> Sartre représente simultanément la révolte, l'intellectuel brillant, reconnu et engagé, en rupture de condition et de classe. Il est incontournable dans tous les débats et combats de la gauche. Aron incarne un humanisme conservateur, sceptique autant que désabusé. Sa constante critique du communisme l'a consacré, après-coup, comme un visionnaire.

Mlac, MLF : des femmes libérées

Les femmes sont partout en mai 68, non pas au poste de chef ou au premier rang dans des bureaucraties groupusculaires, mais ailleurs. Le pouvoir ne les tente pas encore. Il faut bien reconnaître, de plus, que les guérilleros en herbe ont du plaisir à le détenir.

Une réelle conquête de la parole
Assurément, Mai 68 va bien aux femmes, à la cause des femmes. Elles vont sortir gagnantes de cette histoire. Le féminisme n'est pas une idée neuve, mais Mai 68 va donner aux femmes la possibilité de reprendre la parole. Elles ne la rendront plus.

« Sexualité et répression » (manifeste de Wilhelm Reich, 1936)

C'est le titre de la conférence donnée, le 21 mars 1968, par madame Revault d'Allones à la cité universitaire de Nanterre sur le droit à des relations amoureuses libres, sur la contraception, sur la libre disposition de son corps, sur le droit au plaisir. Il y a foule ce jour-là au foyer étudiant, tant ces questions représentent des thèmes essentiels pour la vie de celle ou celui qui a alors 20 ans. La liberté sexuelle est encore un sujet tabou. Il y a en France une double attitude faite d'une vertueuse hypocrisie et de tolérance pour la «bagatelle» contrôlée par les hommes. L'avortement reste un délit et les jeunes filles ou les femmes ne disposent pas de moyens sûrs ou d'informations sur la contraception ou encore la prévention de la grossesse. Il faudra attendre 1967 pour que le député Lucien Neuwirth fasse voter une loi autorisant la contraception.

De nouvelles citoyennes

C'est lors des élections législatives de 1945 que les femmes votent pour la première fois en France. Sur les 545 députés, 35 femmes sont élues. De 1946 à 1968, le nombre des femmes à l'Assemblée nationale ne cesse de décroître pour se

Changement d'ère | Les trente glorieuses | Mondes en rupture

réduire à 1,6 % de la représentation parlementaire en 1968. Citoyennes de fraîche date, dans des situations subalternes au plan professionnel, fort peu émancipées de la tutelle maritale, les femmes découvrent leur pouvoir en 68. Elles conquièrent la parole, la capacité de dire non, de choisir, de décider pour elles-mêmes et par elles-mêmes, y compris dans les groupes gauchistes les plus radicaux.

Women's lib et MLF

Ce qui va devenir en 1970 le MLF (Mouvement de libération de la femme) trouve sa source dans les premières manifestations féministes des campus américains. Le *Women's lib* («libération de la femme») perturbe, devant les caméras de télévision, l'élection de «Miss America» à Atlanta. Les femmes jettent leur soutien-gorge en signe de libération. L'effet médiatique est considérable et rallie la sympathie des milliers de femmes américaines en butte au sexisme de leur société. En 1970, la revue *Partisans* publie un numéro «Libération de la femme année zéro» : il signe l'acte fondateur du MLF français. La même année, à Paris, un groupe de femmes dépose une gerbe sous l'Arc de triomphe dédiée «À la femme inconnue du soldat» avec la mention «un homme sur deux est une femme». En 1971 est publié «le Manifeste des 343» femmes en faveur de l'avortement qui déclarent avoir elles-mêmes avorté. Une presse féministe apparaît : *Le torchon brûle*, puis *Histoires d'elles* marquent ce tournant dans la société française. Grâce à l'action du Mlac (mouvement pour la liberté de l'avortement et de la contraception), la loi Veil sur l'IVG (interruption volontaire de grossesse) est adoptée en 1974.

Dans les années De Gaulle, on ne badine pas avec les choses du sexe, et la liberté amoureuse a pour limite le risque d'une grossesse non désirée. Si dans les milieux aisés l'information sur la contraception circule, si l'on possède les moyens d'avorter, c'est toujours un grand risque, un traumatisme soumis à l'opprobre social et un acte hors la loi.

Illusions, désillusions : le marché a tout digéré

Que reste-t-il des utopies de ceux qui croyaient que l'on pouvait changer le monde ? Sans Mai 68, il est probable que l'alternance politique de 1981 ne se serait pas produite. Mais, paradoxalement, les années Mitterrand n'ont-elles pas définitivement enterré le joli mois de mai ?

Paradoxes actuels
En affirmant vouloir « liquider l'héritage de Mai 68 », le président de la République Nicolas Sarkozy, élu en mai 2007, affiche une non-compréhension de l'époque. Celui qui conjugue allègrement des symboles contraires (célébration de Guy Môquet, résistant communiste, autant que celle de l'argent roi) est exemplaire d'un libéralisme ayant su capter pour son profit le « jouir sans entrave » d'il y a quarante ans.

« Cours camarade, le vieux monde est devant toi ! » (1998)

Mai 68, au bout du compte, fut un jeu de dupes avec des acteurs à contre-emploi. De Gaulle, l'homme de tous les refus, joua le plus mauvais rôle de son existence : un homme d'ordre que la jeunesse rejetait, tandis qu'elle s'adonnait à des idolâtries et des idéologies qu'elle croyait libératrices; elle les reconnaîtra, dix ans plus tard, comme totalitaires… Mitterrand le joueur, l'artiste, l'homme des compromissions

La confusion des repères
En confondant les repères (CRS = SS), en inversant les références (Hitler avec le masque de De Gaulle), l'esprit 68 qui prétendait mettre à bas tous les tabous ou toutes les vérités déclarées fausses, parce qu'elles seraient officielles, n'a-t-il pas contribué, entre autres, à favoriser l'émergence du discours révisionniste ? Trente après, on peut en mesurer les dégâts.

Changement d'ère | Les trente glorieuses | Mondes en rupture

et des secrets bien dissimulés, ramassa la mise pour devenir, en mai 1981, l'héritier ou le dépositaire des espérances de Mai 68. On sait ce qu'il en advint. L'actuel paysage idéologique ressemble à un champ de ruines où fleurissent confusion, affaissement médiatique sur fond de désespérance sociale.

La fête plutôt que la bombe

Le Mai 68 français n'a miraculeusement pas engendré de terrorisme comme l'Italie, l'Allemagne ou le Japon en ont connu. L'héritage de la génération précédente étant sans doute moins lourd à assumer, le règlement de comptes en fut moins violent. Initié par des intellectuels frustrés d'une Résistance mais habités par elle, Mai 68 fut d'abord une grande fête « contre ». Contre l'ordre étouffant d'une société figée et patriarcale, contre un ordre des choses réduisant l'humanité de l'individu et du citoyen à une double fonction : produire et consommer. Inspirée par une certaine générosité, la jeunesse joua la fiction d'une révolution, sans deviner que celle-ci allait être récupérée, digérée, transfigurée par le système qu'elle avait cru combattre.

« *Sous les pavés, la plage...* » (1968)

Si les désillusions furent et restent grandes, Mai 68 fut la manifestation d'un formidable appétit de vivre libre. Ce moment reste le déclencheur de la mise en cause des derniers totalitarismes en Europe : franquisme ou autres dictatures de droite, stalinisme ou autre régimes poststaliniens. Les succès les plus évidents de Mai 68 se retrouvent dans la culture, dans les comportements, dans le fait d'oser prendre la parole, dans la mise sur un pied d'égalité des rapports hommes/femmes, dans l'obtention par les femmes de leurs droits à l'autonomie. Quarante ans après, on mesure le chemin parcouru avec un regard à la fois amer et ironique : il reste beaucoup de plages à chercher sous les pavés.

Libéralisme et liberté Le triomphe du marché et de sa loi – étant justement qu'il n'y a pas de loi – n'est-il pas, au bout du compte, le triomphe pervers d'un libéralisme confondu avec le principe de liberté et d'autonomie ? Quarante ans après, la question est ouverte.

Le fameux *« il est interdit d'interdire »* a-t-il été libérateur ou, au contraire, a-t-il engendré un asservissement plus pervers à la loi du plus fort, du mieux-né, du plus riche ou du plus violent ? Le culte de la transgression, en rejetant l'idée de la loi, n'a-t-il pas favorisé une barbarie jouissant désormais d'une caution émancipatrice ?

Chronologie de la décennie

1960 Mort d'Albert Camus. Procès Jeanson (procès des «porteurs de valise», le réseau de soutien au FLN*). Manifeste des 121*.

1961 Putsch des généraux à Alger. Création de l'OAS*. Manifestations des Algériens à Paris. Construction du mur de Berlin.

1962 Sortie de *Salut les copains*. Manifestation au métro Charonne contre l'OAS (neuf morts). Indépendance de l'Algérie. Attentat contre De Gaulle au Petit-Clamart. Crise des fusées à Cuba.

1963 Exécution du militant antifranquiste Juan Grimau en Espagne. Grève des mineurs en France. Création de la deuxième chaîne de télévision. Concert de Johnny Halliday à la Nation.

1964 Fidel Castro à Moscou. Refus du prix Nobel de littérature par Jean-Paul Sartre. Critique des déviations de l'UEC* par Waldeck Rochet, nouveau secrétaire du PCF. Krouchtchev destitué. *Les Héritiers* de Bourdieu et Passeron (*voir* pp. 10-11).

1965 Mitterrand candidat à la présidence de la République, ballottage et victoire de De Gaulle. Enlèvement de Ben Barka (*voir* pp. 6-7). *Pierrot le fou* de Jean-Luc Godard. Georges Pérec publie *Les Choses*. *La guerre est finie* d'Alain Resnais.

1966 Conférence tricontinentale à La Havane (*voir* pp. 26-27). Bombardements américains sur le Nord Viêt-nam. Révolution culturelle en Chine. Formation du Comité Viêt-nam national. Création de l'UJC(ML)*. *La Religieuse*, film de Jacques Rivette, est interdit. Parution du livre *Les Mots et les Choses*, de Michel Foucault.

1967 Tension Urss-Chine. Coup d'État militaire en Grèce. Guerre des Six Jours entre Israël et Palestine. Georges Séguy, nommé secrétaire de la CGT (Confédération générale du travail). Mort de Che Guevara. Arrestation de Régis Debray en Bolivie. Loi Neuwirth sur la contraception. *La Chinoise*, de Jean-Luc Godard. *La Société du spectacle*, de Guy Debord. *Traité de savoir-vivre à l'usage des jeunes générations*, de Raoul Vaneighem.

Changement d'ère | Les trente glorieuses | Mondes en rupture

1968 Alexandre Dubcek, secrétaire du PC tchèque.

Manifestation ouvrière à Redon.

Agitation à l'université de Nanterre.

Offensive du Vietcong* au moment de la fête du Têt (nouvel an) au Viêt-nam.

22 mars : occupation du bâtiment administratif de Nanterre.

Attentat contre Rudi Dutschke (*voir* pp. 28-29).

Attaque d'une exposition pro-Sud-Viêt-nam à Paris par les CVB*.

Fermeture de l'université de Nanterre puis de la Sorbonne.

3 mai : Affrontements au Quartier latin.

10 mai : nuit des barricades.

13 : immense manifestation unitaire. Réouverture de la Sorbonne. De Gaulle en Roumanie jusqu'au 18.

20 : dix millions de grévistes.

24 : discours de De Gaulle et violentes manifestations. Incendie de la Bourse.

27 : meeting de Charléty. Signature des accords de Grenelle.

29 : visite de De Gaulle à Baden-Baden chez son ami le général Massu.

30 : discours de De Gaulle, manifestation gaulliste sur les Champs-Élysées.

6 juin : bagarres à l'usine de Renault à Flins contre la reprise : un mort, Gilles Tautin.

16 juin : évacuation de la Sorbonne.

23-30 juin : élections législatives. Triomphe de l'UDR (Union pour la défense de la République). Dissolution des groupuscules.

Juillet : arrestation d'Alain Krivine. Couve de Murville remplace Pompidou au poste de Premier ministre.

Août : invasion de la Tchécoslovaquie par les forces du pacte de Varsovie*.

Septembre : mort de Michèle Firk (*voir* pp. 22-23).

1969 Suicide par le feu de Jan Palach (*voir* pp. 32-33).

Avril : échec du référendum sur la régionalisation et le Sénat. Démission de De Gaulle. Pompidou est élu président de la République. Premier homme sur la lune.

1970 Vague de suicides de lycéens. Violences à l'université de Nanterre. Arrestation de Pierre Goldman (*voir* pp. 22-23). Loi anti-casseurs. Manifestation du MLF (Mouvement de libération de la femme). Dissolution de la Gauche prolétarienne. Parution d'*Actuel*. Mort du général de Gaulle. Sartre, directeur de *La Cause du peuple*. Libération de Régis Debray en Bolivie. *1789* joué par le Théâtre du Soleil.

Who's who ?

Il est bien évidemment impossible de recenser tous ceux qui ont fait 68. Nous nous contenterons de relever les itinéraires les plus intéressants d'un point de vue symbolique.

• *Daniel Bensaid.* Leader de la JCR* en 68. Professeur de philosophie à Paris-VIII.

• *Roland Castro.* Maoïste. Fondateur de VLR*. Initiateur de Banlieues 89 (un projet d'urbanisme). Architecte.

• *Daniel Cohn-Bendit.* Leader du Mouvement du 22 mars*. Député européen des Verts allemands.

• *Régis Debray.* Normalien. Condamné à trente ans de prison en Bolivie pour avoir soutenu Che Guevara en 1967. Conseiller de François Mitterrand puis professeur de médiologie (sciences des médias) à la Sorbonne.

• *Omar Diop.* Étudiant sénégalais. Joue dans *La Chinoise* de Jean-Luc Godard. Membre du Mouvement du 22 mars. Arrêté et assassiné au Sénégal.

• *Jean-Paul Dollé.* Front étudiant antifasciste. Il était membre de l'UEC*. Urbaniste.

• *Jean-Pierre Duteuil.* Anarchiste. Membre du 22 mars*. Éditeur.

• *Didier Gallot.* D'extrême droite en 68 à Nanterre. Policier puis juge.

• *Antoine de Gaudemar.* Lycéen en 68. Membre de la Gauche prolétarienne*. Journaliste à *Libération*.

• *Alain Geismar.* Secrétaire du SneSup* en 68 puis leader maoïste de la Gauche prolétarienne. Aujourd'hui membre du cabinet de Claude Allègre, ministre de l'Éducation nationale.

• *Pierre Goldman* (*voir* pp. 22-23). Responsable du SO* de l'UEC. Tenté par la guérilla en Amérique latine. Arrêté pour divers hold-up à Paris. Condamné pour meurtre puis innocenté, il est assassiné en 1979 à Paris.

• *Jean Edern Hallier.* Écrivain, fondateur d'*Action* en 68. Devient rouge-brun antisémite à la fin des années quatre-vingt. Décédé.

• *Serge July.* Maoïste. Auteur avec Alain Geismar de *Vers la guerre civile*. Directeur de *Libération*.

• *Marc Kravetz.* Militant des Jeunesses communistes et du Front antifasciste contre la guerre d'Algérie. Animateur de la gauche syndicale. Rédacteur à *Action*. Journaliste.

• *Guy Konopnicki.* Leader de l'UEC et membre du PCF en 68. Écrivain, auteur de polars. Élu «vert» dans les Hauts-de-Seine.

- *Bernard Kouchner.* Membre dissident de l'UEC en 68. Médecin, fondateur de «Médecins du monde», ministre délégué à la Santé du gouvernement Jospin.

- *Alain Krivine.* Leader de la JCR (Jeunesse communiste révolutionnaire) en 68. Leader de la LCR (Ligue communiste révolutionnaire).

- *Michel Le Bris.* Maoïste en 68. Directeur de *La Cause du peuple.* Écrivain. Fondateur du festival des «écrivains voyageurs».

- *Robert Linhart.* Normalien. Fondateur de l'UJC(ML). Auteur de *L'Établi.* Chercheur en sciences sociales.

- *Xavier Langlade.* JCR, responsable du service d'ordre à Nanterre. Imprimeur.

- *Benny Levy,* maoïste, alias Pierre Victor dans la Gauche prolétarienne. Philosophe et talmudiste après avoir été le collaborateur de Sartre.

- *Alain Madelin.* Membre d'Occident* en 68. Ministre de l'Industrie puis fondateur de Démocratie libérale.

- *Jean-Louis Peninou.* PSU (Parti socialiste unifié) puis UEC*, animateur de la gauche syndicale de l'Unef*. Journaliste.

- *Olivier Rolin.* Normalien. Maoïste. Responsable militaire de la future NRP (Nouvelle Résistance populaire), branche armée de la GP (Gauche prolétarienne).

- *Jean Schalit.* UEC. Fondateur d'*Action* en 68.

- *Yves Stourdzé.* Animateur de l'Unef puis membre du 22 mars. Fondateur du Cesta (laboratoire de recherches sur les technologies avancées du multimédia et de l'informatique). Décédé.

- *Pierre-André Taguieff.* Proche des situationnistes* et pianiste de jazz à Nanterre en 68. Directeur de recherche au CNRS (Centre national de la recherche scientifique).

- *Henri Weber.* Leader de la JCR en 68 puis de la LCR. Sénateur socialiste.

...il faudrait aussi citer : Gérard Aimé, Pierre Brimberg, Francine Dedidier, Bernard Conein, Claudine Ezikman, Jean Fernandez, Guy Fihman, Yves Fleisch, Jose Garcia, Alain Gentil, Jean-Claude Heinen, Georges Hornn, André Khalifa, Fernando Kolritz, Nicole Lapierre, Marie-Claude Pansart, Sophie Petersen, Michel Porrot, Isabelle Saint-Saens, Marc Szandberg, Danièle Schulman, Talila, Doudou Thiam, et des milliers d'autres anonymes sans lesquels cette histoire n'aurait pu avoir lieu.

Glossaire

Accords de Matignon : premiers grands accord sociaux passés entre patronat et syndicats, négociés par le gouvernement du Front populaire en 1936. Ils instaurent entre autres le principe des congés payés.

Amphétamine : médicament provoquant une excitation du système nerveux central.

Beatnik : mouvement intellectuel, littéraire, artistique et musical, héritier de la *beat generation*★ américaine du début des années soixante.

Beat generation : mouvement d'idées en réaction aux conformismes de la société américaine pendant les années soixante.

Bo-doï : soldat vietnamien de l'armée du Viêt-minh puis du Vietcong★, l'armée du FLN★ vietnamien.

CA : comités d'action.

CDR : Comités de défense de la République, créés par le mouvement de soutien au général de Gaulle après la manifestation du 30 mai. Ils sont animés par des membres du Sac (Service d'action civique), ancien service d'ordre des groupes gaullistes.

Charte 77 : mouvement d'intellectuels et d'artistes tchécoslovaques initié en 1967, et opposé au pouvoir totalitaire du PCT (Parti communiste tchécoslovaque), vassal de l'Urss. Vaclav Havel, l'actuel président de la République tchèque, en était l'un des principaux membres. Ce mouvement entre en clandestinité en août 1968, après l'invasion des chars soviétiques.

Culture alternative : expression culturelle en marge des formes communément admises ou conformistes dans l'ordre culturel dominant.

CVB : Comité Viêt-nam de base. Animé par les maoïstes de l'UJC(ML)★.

CVN : Comité Viêt-nam national. Animé entre autres par les trotskistes de la JCR★.

CLER : Comité de liaison des étudiants révolutionnaires.

FAR : Forces armées révolutionnaires. Groupe d'extrême gauche au Guatemala.

Fédération anarchiste : regroupe tous les mouvements anarchistes. La revue *Noir et rouge* en est la publication théorique.

Fellagah : soldat du FLN★ algérien.

FGEL : Fédération des groupes d'études de lettres. Branche de l'Unef★ où se retrouvent, à la fin de la guerre d'Algérie en 1962, les étudiants de gauche, souvent communistes, les plus actifs.

FLN : Front de libération nationale algérien. Mouvement de lutte armée fédérateur des partisans de l'indépendance algérienne.

Fnef : Fédération nationale des étudiants de France. Syndicat étudiant de la droite modérée mais noyauté par l'extrême droite.

Gauche prolétarienne : issue de l'UJC(ML)★ et fondée en 1968. C'est un groupe maoïste ayant pour publication *La Cause du peuple*. On y retrouve Alain Geismar.

Happening : voir *Living Theatre*.

JCR : Jeunesse communiste révolutionnaire, d'obédience trotskiste. Publie un magazine, *Avant-garde jeunesse,* puis *Rouge.* Dirigée par Alain Krivine, Henri Weber et Daniel Bensaid. La JCR est active dans les comités d'action et dans le Mouvement du 22 mars*.

Living Theatre : forme de théâtre née dans les années soixante aux États-Unis, en rupture avec le théâtre classique, et traitant des sujets de société de l'époque. C'est un théâtre provocateur dans son expression et par les thèmes qu'il ose aborder. Il cultive le *happening,* forme d'expression théâtrale spontanée et improvisée.

Maccarthysme : mouvement de pensée politique ultraconservateur, initié par le sénateur républicain américain MacCarthy dans les années cinquante aux États-Unis, traquant tout suspect de sympathie procommuniste, en particulier dans les milieux intellectuels et artistiques.

Manifeste des 121 : appel lancé en 1960 par des intellectuels et des artistes défendant le droit à l'insoumission pour les appelés en Algérie.

Mouvement du 22 mars : mouvement étudiant informel né à l'université de Nanterre dans la nuit du 22 mars 1968. Il regroupe toutes les tendances politiques des divers groupuscules et surtout les étudiants inorganisés. Libertaire, antiautoritaire, il a pour leader emblématique Daniel Cohn-Bendit.

Mutualité : salle mythique de réunions et de meetings au Quartier latin à Paris (métro Maubert-Mutualité).

OAS (Organisation armée secrète) : mouvement terroriste armé favorable à l'Algérie française, né après le putsch d'Alger* en avril 1961.

Occident : principal groupe d'extrême droite en 1968, néofasciste pour certains de ses membres. À la fois issu du groupe Europe action, de la Fen (Fédération des étudiants nationalistes) et des divers mouvements de défense de l'Algérie française. Violemment anticommuniste, il défend le sud du Viêt-nam et vient faire le coup de poing contre l'UEC* ou les groupes gauchistes. Il publie le magazine *Défense de l'Occident.* On y retrouve Alain Madelin, Gérard Longuet.

Otan (Organisation du traité de l'Atlantique Nord) : alliance militaire des pays de l'Ouest placée sous la houlette des États-Unis pour assurer un système commun de défense face au bloc soviétique.

Pacte de Varsovie : pacte d'alliance militaire conclu en 1955 entre les pays de l'Est autour de l'Union soviétique pour faire face à l'Otan*. Après l'effondrement de l'Urss en 1991, le pacte de Varsovie n'existe plus aujourd'hui.

Poujadisme : Pierre Poujade crée en 1953 l'Union de défense des commerçants et artisans (UDCA). Ce mouvement lutte pour la préservation de ses intérêts menacés par la modernisation et la concentration du système de distribution dans les années cinquante. Pierre Poujade en fut l'animateur principal.

Produit intérieur brut (PIB) : ensemble des biens et services produits dans un pays. Mesure de la richesse nationale.

Putsch d'Alger : tentative avortée d'insurrection militaire en faveur de l'Algérie française menée, en avril 1961, par une partie de l'armée française en Algérie et dirigée par les généraux Challe et Salan.

Glossaire (suite)

Réformisme : mode de transformation politique et sociale préférant les voies parlementaires et légales aux ruptures brutales des mutations révolutionnaires.

Situationnistes : mouvement intellectuel né au milieu des années soixante autour des œuvres de Guy Debord et de Raoul Vaneigheim. D'obédience libertaire, il présente une théorie ricanante du spectacle du monde.

SneSup : Syndicat national de l'enseignement supérieur. Regroupe la gauche des enseignants à l'université. Suit et se solidarise avec le mouvement étudiant. Alain Geismar en est le secrétaire général en 1968.

SO : service d'ordre. Force de frappe armée de tous les groupes. La notion d'ordre est ici un euphémisme.

Suffrage universel : système où le droit de vote est ouvert à tous les citoyens sans aucune restriction tenant à des conditions de fortune, de capacité, d'hérédité. Il peut néanmoins comporter des exclusions d'âge, de sexe ou d'indignité.

Synchronicité : ensemble des faits à analyser à un moment déterminé dans une évolution historique.

UEC : Union des étudiants communistes. Branche du PCF en milieu étudiant. Publie un mensuel, *Clarté*. Creuset fondateur, l'UEC a scissionné de nombreuses fois à la mesure des exclusions successives de ses militants passés au gauchisme (l'extrême gauche de la gauche).

Unef : Union nationale des étudiants de France. Principal syndicat étudiant de gauche dont les heures de gloire se situent pendant la guerre d'Algérie. Autre creuset fondateur du militantisme étudiant. Son président en 1968 est Jacques Sauvageot, on y retrouve Christian Blanc (ex-PDG d'Air France).

UJC (ML) : Union des jeunesses communistes (marxistes léninistes), d'obédience maoïste, publie *Servir le peuple* puis *La Cause du peuple*, organe de la Gauche prolétarienne*. On y retrouve Robert Linhart, Benny Levy, André Gluksman.

Vietcong : organisation communiste soutenue par le Viêt-nam du Nord, luttant contre le pouvoir établi au Viêt-nam du Sud inféodé par les États-Unis. Elle prend le relais du Viêt-minh qui combattait les Français jusqu'en 1954.

VLR : « Vive la révolution », d'obédience à la fois maoïste et spontanéiste (mao-spontex). Publie *Tout! Ce que nous voulons? Tout!* On y retrouve Roland Castro.

Bibliographie

BACKMAN (René) et RIOUX (Lucien), *L'Explosion de mai*, Robert Laffont, 1969.

BEAUVOIR (Simone de), *La Cérémonie des adieux*, Gallimard, 1981.

BOURSEILLER (Christophe), *Les Maoïstes*, Plon, 1996.

COHEN-SOLAL (Annie), *Sartre*, Gallimard, 1985.

DEBRAY (Régis), *Les Rendez-vous manqués*, Seuil, 1975. *Modeste contribution aux discours et cérémonies officielles du dixième anniversaire*, Maspéro, 1978.

DUTEUIL (Jean-Pierre), *Nanterre 68*, Acratie, 1988.

GOLDMAN (Pierre), *Souvenirs obscurs d'un juif polonais né en France*, Seuil, 1976.

HAMON (Hervé) et ROTMAN (Patrick), *Génération*, Seuil, 1988.

KAGAN (Élie) et ROTMAN (Patrick), *Le Reporter engagé*, Métailié, 1989.

LINHART (Robert), *L'Établi*, Éditions de minuit, 1978.

MARKER (Chris), *Le fond de l'air est rouge*, Maspéro, 1978.

SCHNAPP (Alain) et VIDAL-NAQUET (Pierre), *Journal de la commune étudiante*, Seuil, 1969.

STORTI (Martine), *Un chagrin politique*, L'Harmattan, 1996.

WINOCK (Michel), *Le Siècle des intellectuels*, Seuil, 1997.

L'Histoire au jour le jour, Le Monde éditions, 1963-1973.

Ouvriers, étudiants, un seul combat!, «Partisans», n° 42, Maspéro, 1968.

Index

Le numéro de renvoi correspond à la double page.

**Les Essentiels Milan,
64 pages pour comprendre**

**Autres titres sur le thème
« Histoire » :**

La collection « Les Essentiels Milan »,
c'est près de 300 titres déjà parus
dans les domaines suivants :

    Arts, littérature et culture
    Politique, droits et institutions
    Économie, nouvelle économie
    Histoire, pays et religions
    Philosophie
    Psychologie, psychanalyse et sciences humaines
    Société et médias
    Pratique

Venez découvrir l'ensemble du catalogue
« Les Essentiels Milan » sur notre site :
http://www.editionsmilan.com

A collaboré à cet ouvrage :
Jacques Devert
Conception graphique
Bruno Douin

Crédit photo
Un grand merci aux documentalistes
de l'agence « Archive Photos »
(sauf p. 54 : D.R.).

L'éditeur remercie Isabelle Cloturat
pour sa précieuse collaboration.

*Les erreurs ou omissions
involontaires qui auraient pu
subsister dans cet ouvrage malgré
les soins et les contrôles de l'équipe
de rédaction ne sauraient engager
la responsabilité de l'éditeur.*

© **1998 Éditions MILAN**
300, rue Léon-Joulin,
31101 Toulouse Cedex 9 France

ISBN : 978.2.7459.3427.7
D. L. : 1er trimestre 2008
Aubin imprimeur, 86240 Ligugé
Imprimé en France